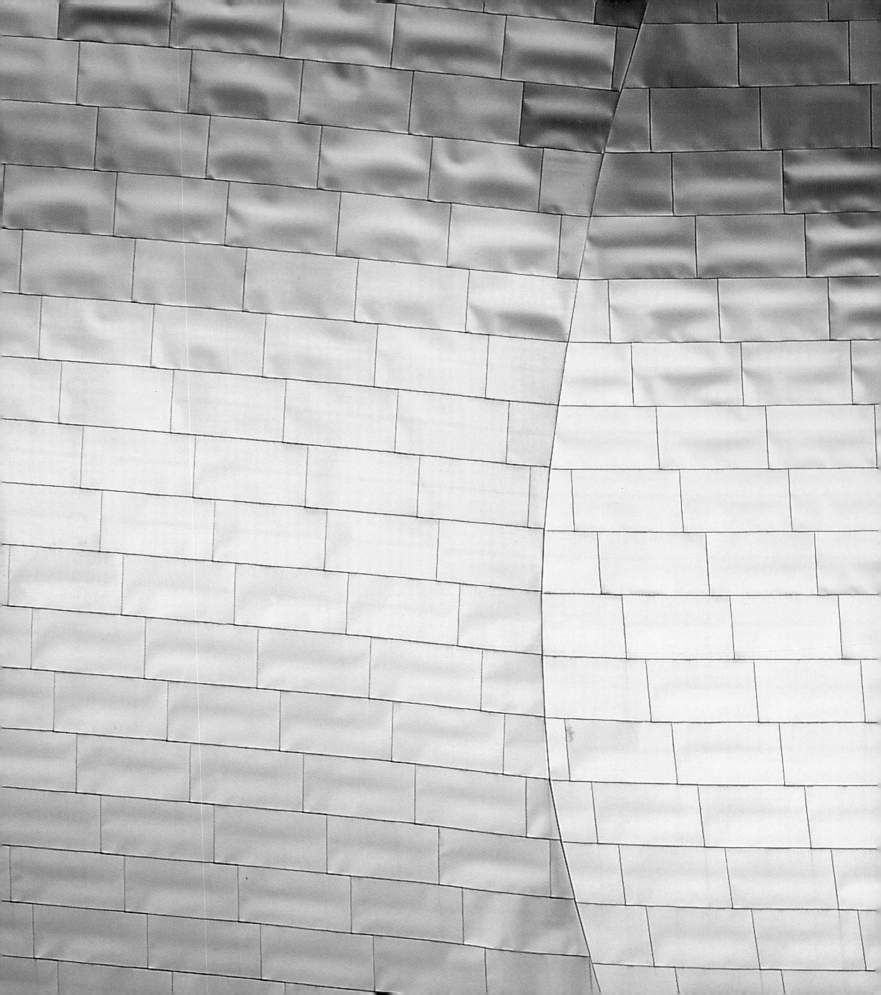

# Frank O. Gehry  Guggenheim Museum Bilbao

VON COOSJE VAN BRUGGEN

ISBN (hardcover)3-7757-0722-0

Printed in Germany by Dr. Cantz'sche Druckerei, Ostfildern-Ruit

Guggenheim Museum Publications
1071 Fifth Avenue
New York, New York 10128

Vertrieb durch
Verlag Gerd Hatje
Senefelderstraße 12
73760 Ostfildern-Ruit
Tel. (0) 7 11/44 05-0

Gestaltung: Bruce Mau mit Yoshiki Waterhouse

Umschlagabbildung vorne: Ansicht des Guggenheim Museum Bilbao von der Alameda de Mazarredo. Photo: David Heald.
Umschlagabbildung hinten: Außenansicht des Museums und die Puente de la Salve. Photo: Timothy Hursley.

Photonachweis (Seite): 2–3, Timothy Hursley; 7, David Heald; 8, Aitor Ortiz; 14, Harvey Spector; 16, 19–20, courtesy of Frank O. Gehry & Associates; 23, Harvey Spector; 24–25, Edwin Chan; 30, 32, Harvey Spector; 33, courtesy of Frank O. Gehry & Associates; 35, 38–41, Harvey Spector; 42–44, courtesy of Frank O. Gehry & Associates; 45, Walker Art Center, Minneapolis; 46–47, courtesy of Frank O. Gehry & Associates; 48, Y. Futagawa, ©GA Photographers; 50 (bottom)–54, Harvey Spector; 55, ©1997 Don F. Wong; 56, Y. Futagawa, ©GA Photographers; 58, ©Richard Bryant; 59, ©Peter Mauss/Esto; 60 (left), ©Mark Darley/Esto; 61–63, Harvey Spector; 64, ©1997 Don F. Wong; 65–70, Harvey Spector; 73–76, courtesy of Frank O. Gehry & Associates; 78–79, Harvey Spector; 80, courtesy of Frank O. Gehry & Associates; 84–91, Harvey Spector; 94, 97, Joshua White; 98, 101–02, Harvey Spector; 104–05, Joshua White; 106–08, 110–11, Harvey Spector; 113 (left), ©1997 The Museum of Modern Art, New York; 113 (center, right), Timothy Hursley; 116, Atilio Maranzano; 117, Timothy Hursley; 118, ©Christian Richters Fotograf; 119, Timothy Hursley; 120–21 (models), Joshua White; 120–21 (interiors), Timothy Hursley; 123, David Heald; 124–125, 127–29 (except upper right, 129), Joshua White; 129 (upper right), David Heald; 131, 140, Timothy Hursley; 142–44 (left), 145 (left, center), Joshua White; 145 (right), Timothy Hursley; 146 (right), 147 (left, right), Joshua White; 154–55, David Heald; 156–63, Aitor Ortiz; 164–65, David Heald; 166–67, Timothy Hursley; 168–73, David Heald; 174–79, Timothy Hursley; 180, David Heald; 181–83, Timothy Hursley; 184–85, David Heald; 187–92, Timothy Hursley; 193–95, Timothy Hursley; 194–95, David Heald; 195, Timothy Hursley; 198–201, David Heald.

# Vorwort

*Thomas Krens*

Mehr als alle anderen Kunstinstitutionen der Welt versteht es das Guggenheim Museum, sein Image durch ein einzigartiges Bauwerk zu begründen. Frank Lloyd Wrights richtungsweisender Bau des Guggenheim Museum in New York gilt allgemein als architektonische Ikone der Moderne und wird seit seiner Eröffnung im Jahr 1959 wie ein Synonym für den Namen Guggenheim verstanden – und dies, obwohl der Bau von Wright nur einer von vielen Standorten des Guggenheim Museum seit seiner Gründung 1937 ist. Das Museum zeigte seine Meisterwerke an vielen Orten, unter anderem in ehemaligen Verkaufsräumen eines Autohauses und einem Stadthaus an der Fifth Avenue, das später abgerissen wurde, um dem heutigen Bau Frank Lloyd Wrights Platz zu machen. Seit 1976 umfaßt die Institution Guggenheim die Peggy Guggenheim Sammlung in einem Palazzo des 18. Jahrhunderts am Canal Grande in Venedig und seit fünf Jahren das Guggenheim SoHo, erbaut von Arata Isozaki; im November 1997 wird das Deutsche Guggenheim Berlin in einem nach Entwürfen von Richard Gluckman umgestalteten historistischen Bau Unter den Linden im wiederbelebten Berlin eröffnet.

Mit Frank Gehrys Museum in Bilbao strahlt ein neuer, hell leuchtender Stern im Kosmos des Guggenheim. Der Bau wurde von den führenden Architekten und Architekturkritikern der Welt schon vor seiner Einweihung einhellig mit Begeisterung begrüßt, seine Bedeutung und visionäre Qualität gewürdigt. Als ein Museum des 21. Jahrhunderts ergänzt dieser Bau in perfekter Weise das Stammhaus in New York.

Im April 1991 bat ich Frank Gehry um seine Teilnahme an einem einmaligen Projekt der Zusammenarbeit auf kulturellem Gebiet, das die baskische Regierung der Solomon R. Guggenheim Stiftung angeboten hatte. Schließlich ging Frank Gehry als Sieger aus dem Wettbewerb um den Museumsbau hervor; damals konnte ich mir kaum vorstellen, wie das im Oktober 1997 zu eröffnende Museum aussehen würde. Vielleicht behauptet jeder Auftraggeber, der von ihm ausgewählte Architekt hätte sein Vertrauen mit dem großartigsten aller bisher von ihm errichteten Gebäude belohnt. In diesem Fall nun haben wir – die Guggenheim Stiftung, die baskische Regierung und das baskische Volk – das ungeheure Glück, Gehry wirklich sein bestes Werk entlockt zu haben.

Das vorliegende Buch feiert das Guggenheim Museum Bilbao und eröffnet dem Leser einen Einblick in den Schaffensprozeß, der Teil von Gehrys revolutionär neuer Architekturauffassung ist. Gehrys Entscheidung für ungewöhnliche Materialien und sein Einfühlungsvermögen, mit dem er einen Bezug seiner Bauten zur Umgebung herstellt, ist legendär. Seine Methode, sich ein Bild von einem Bau mit Hilfe intuitiver Zeichnung und der Fertigung kleiner handgeformter Modelle zu verschaffen, ist dagegen weniger bekannt, ermöglicht allerdings den direktesten Zugang zum Verständnis seiner Arbeit.

Wir sind besonders glücklich, Coosje van Bruggen als Autorin gewonnen zu haben, eine Autorin, die in einzigartiger Weise qualifiziert ist, die Entstehungsgeschichte des Museumsbaus von der Konzeption über die Gestaltung zur Konstruktion zu dokumentieren. Als Kunsthistorikerin und Künstlerin hat Coosje van Bruggen seit langem engen Kontakt zu Frank Gehry. Beide haben nicht nur bei vielen architektonischen und künstlerischen Projekten zusammengearbeitet, Coosje van Bruggen ist auch die Verfasserin eines bedeutenden Beitrags zur Frank-Gehry-Retrospektive im Walker Art Center 1986. In den letzten sechs Jahren führte sie zahlreiche Interviews mit dem Architekten und nahm detaillierte Studien zu seinen Zeichnungen und Modellen vor. Mit diesem Buch wird Gehrys Zeichnungen zum ersten Mal der ihnen angemessene Stellenwert zuteil.

Für die Zusammenarbeit mit Bruce Mau Design bin ich ebenfalls sehr dankbar. Bruce Mau und sein Kollege Yoshiki Waterhouse haben die Myriaden visueller Bausteine dieser Publikation mit Einfühlsamkeit behandelt und in klarer, konsequenter Weise zusammengeführt.

Die Abteilung Publikationen des Guggenheim Museum in New York führte dieses Buch mit größter Sorgfalt von der Konzeption zur Umsetzung. Für ihre Mitarbeit danke ich Anthony Calnek, Leiter der Abteilung Publikation, Elizabeth Levy, leitende Redakteurin und verantwortlich für ausländische Publikationen, der Redakteurin Jennifer Knox White, der Redaktionsassistentin Carol Fitzgerald und Melissa Secondino, Produktionsassistentin. Mein Dank gilt ebenfalls David Heald, Leiter der Abteilung Photodokumentation, für seinen wichtigen Beitrag zum Gelingen dieser Publikation. Ich möchte mich auch bei den Mitarbeitern der neuen Publikationsabteilung im Museum in Bilbao bedanken, die sehr geholfen haben.

Ganz besonders aber gilt mein Dank Frank Gehry, der uns erlaubte, Material zu reproduzieren, das einen Gestaltungsprozeß dokumentiert, der in faszinierender Weise zum Bau des Guggenheim Museum Bilbao führte. Er und die Mitarbeiter seines Büros – besonders Keith Mendenhall und Josh White – haben uns in der großzügigsten Weise mit allen Kräften und unter Aufopferung ihrer Zeit unterstützt. Das mit Hilfe aller Genannten entstandene Buch ist so reich mit Zeichnungen und Photographien ausgestattet, daß es für Architekturstudenten ebenso wie für Besucher dieses außergewöhnlichen Baus von großem Wert sein wird.

# Vorwort

*Juan Ignacio Vidarte*

Vor mehr als fünf Jahren wurde mir die Verantwortung für ein Projekt übertragen, dessen vorrangiges Ziel der Bau eines einzigartigen Gebäudes war. Dieses Gebäude sollte von derselben Qualität sein, wie das, was es beherbergen würde, es mußte genauso bedeutend sein, wie die Kunstwerke, die man dort installieren wollte. Im Laufe dieser Jahre war ich erfreut und erstaunt zu sehen, wie dieses Vorhaben unsere ersten Pläne noch bei weitem übertraf.

Als privilegierter Augenzeuge konnte ich beobachten, wie Gehrys Bau schon in der Konstruktionsphase allgemeine Aufmerksamkeit und Bewunderung erregte. Die Entwicklung des Gebäudes hat alle, die an diesem Unternehmen beteiligt waren, in gleichem Maße bewegt und überrascht. So gab die großartige, komplexe Stahlkonstruktion dem Bau zunächst seine Grundform. Bruchstückhaftes im Dialog mit regelmäßigen Formen schaffte dann komplexe Muster. Die kühne Verwendung von Kalkstein, Titan und Glas verlieh dem Museum schließlich seine endgültige Gestalt.

Heute ist das Gebäude Realität geworden und bildet das eindrucksvolle Zentrum eines Dreiecks der wichtigsten kulturellen Einrichtungen Bilbaos. Nach so langer, intensiver Arbeit von Bauunternehmern und Technikern wird das Museum nun der Kunst und dem Publikum übergeben. Wenn ich in stillen Momenten daran denke, daß es seine Schöpfer, seine Zeit – das 20. Jahrhundert – und uns alle überleben wird, empfinde ich großen Stolz auf dieses gigantische Vermächtnis an spätere Generationen. Dieses gewaltige Unternehmen war eine große Herausforderung für alle. Sein erfolgreicher Abschluß ist der engagierten Teilnahme eines professionellen Teams zu verdanken. Für mich war dies eine persönliche Erfahrung von unschätzbarem Wert, denn ich hatte die Gelegenheit, in dieser Zeit Frank Gehry kennenzulernen, einen Mann, der mich durch seine geniale und bescheidene Persönlichkeit beeindruckte. Es war mir ebenso eine besondere Freude, mit den Architekten, Ingenieuren und allen anderen am Bau Beschäftigten zusammenzuarbeiten und ein Werk zu vollenden, das noch vor sechs Monaten fast unmöglich schien.

Wäre die Technologie das erste Anliegen gewesen, hätten wir es heute mit einem unpersönlichen, langweiligen und anonymen Gebäude zu tun. Gehrys architektonisches Meisterwerk hingegen ist das Resultat leidenschaftlichen Engagements. Ich glaube, daß ein Stück von uns allen Teil des Guggenheim Museum Bilbao geworden ist.

Guggenheim Museum Bilbao, Grundriß, Juli 1991.
Farbstift und Bleistift auf Transparentpapier, 50,8 x 82,6 cm.

# Passagen: Das Guggenheim Museum Bilbao

*Coosje van Bruggen*

*»Schon nimmt in Memoiren eine fiktive Vergangenheit die Stelle einer anderen ein, von der wir nichts mit Sicherheit wissen – nicht einmal, daß sie falsch ist.«*[1]

Jorge Luis Borges

Bereits vor seiner endgültigen Fertigstellung kann man das Guggenheim Museum Bilbao als eine Art »Ausgrabungsstätte« bezeichnen, in der Forscher nach plausiblen Wahrheiten suchen. Die Analyse eines Gebäudes, das erst kurz vor seiner Vollendung steht, mag verfrüht erscheinen. Doch selbst in den sechs Jahren seit Beginn der Planungsphase sind bereits einzelne Belege von Zwischenstufen des Entwurfsprozesses verlorengegangen, und dies nicht nur aufgrund des selektiven Gedächtnisses des Architekten, sondern auch, weil dieser verschiedene Teile des Projekts gleichzeitig voranzutreiben pflegt. Auch wenn man beim Verfassen einer Geschichte dieses Museums auf die verschiedenen Erinnerungen der Beteiligten angewiesen ist, die natürlich jeweils ihren eigenen Standpunkt vertreten, birgt auch das Gebäude selbst Quellen, faktische ebenso wie mythische, mit deren Entschlüsselung man lange verbringen kann. Und dies scheint ganz im Sinne Frank Owen Gehrys zu sein. Gehry spürt, daß es sein Beitrag zur Architektur ist, in dieser die direkte Umsetzung eines Bildes oder einer Form zu realisieren, nach der er sucht. Es ist dieser einzigartige Prozeß – nennen wir es die Koordination von Hand und Auge – der unbeschadeten Verwandlung einer Skizze in ein Modell, in ein Gebäude, der diesen Bau ausmacht.

Außen- und Innenaufnahmen der Alhóndiga; das Grundstück war ursprünglich für ein neues Museum in Bilbao vorgesehen.

## Präludien: vorgefaßte Meinungen und der Vorschlag eines neuen Standorts

Die baskische Regierung verfügte über einen Bau, der renoviert und in eine Kultureinrichtung verwandelt werden sollte: die Alhóndiga, ein ehemaliges Lagerhaus vom Anfang des 20. Jahrhunderts, in dem man Wein aufbewahrt hatte. Das 28.000 Quadratmeter umfassende städtische Gebäude, das kaum mehr als eine Ruine war, nahm einen ganzen Block entlang der Alameda de Recaldo ein, einer Avenue, die auf den Fluß Nervión zuführt. Man hatte finanzielle Mittel für den Umbau des Gebäudes, einer der ersten in Spanien errichteten Betonbauten, bereitgestellt, und als Thomas Krens, Direktor der Solomon R. Guggenheim-Stiftung, das Gebäude bei seiner ersten Reise nach Bilbao am 9. April 1991 sah, gab es bereits ein Architekturmodell. »Sie hatten geplant, den äußeren ›Rock‹, wie man es nennen könnte, eine Art mittelalterliche Burg mit Zinnen, zu erhalten, aber dafür das gesamte Innere des Gebäudes zu zerstören.«[2] Eine hohe, mehr oder weniger quadratische Glasbox hätte in die erhaltene äußere Hülle eingepaßt werden sollen.

Krens wurde begleitet von Carmen Giménez, der Kuratorin für Kunst des zwanzigsten Jahrhunderts am Guggenheim Museum und ehemaligen Direktorin des nationalen Ausstellungswesens für die spanische Regierung. Sie hatte ihn einer kleinen Gruppe »einflußreicher Berater« (darunter einem Vertreter des Baskenlandes) vorgestellt, mit denen sie sich in dem halben Jahr vor Krens' Ankunft in Bilbao mehrfach zu Mittag- oder Abendessen in Madrid getroffen hatte. In der Gruppe war dabei die Idee eines »international expandierenden Guggenheim« diskutiert worden. Damals existierten bereits Pläne für ein neues Guggenheim Museum in Salzburg, das von dem österreichischen Architekten Hans Hollein entworfen und teilweise in den gebirgigen Standort eingelassen werden sollte. Doch dieses Projekt war ins Stocken geraten, und Krens Bereitschaft, auf die Idee der baskischen Regierung einzugehen, die Solomon R. Guggenheim Foundation als Partner für das Museumsprojekt in der Alhóndiga zu gewinnen, war entsprechend groß.

Welche Gründe hatte die baskische Gruppe für ihr Interesse an dieser Verbindung? Seit der zweiten Hälfte des neunzehnten Jahrhunderts war Bilbao eine geschäftige Industrie- und Handelsstadt gewesen. Doch in jüngster Zeit sah man sich angesichts Rezession mit der schwierigen Aufgabe konfrontiert, die Umstellung auf moderne, dienstleistungsorientierte Industrien bewältigen zu müssen. Unlängst wurden größere Summen für ein umfangreiches Projekt zur Stadterneuerung bereitgestellt. Der Flughafen, der derzeit erweitert wird, erhält einen neuen, von dem aus Valenzia stammenden Architekten Santiago Calatrava gestalteten Terminal. Ein neuer Tower desselben Architekten ist bereits fertiggestellt, ebenso eine Hängebrücke für Fußgänger über den Nervión. Während das Estación Intermodal-Projekt, das vor einem Jahrzehnt von dem Büro James Stirling, Michael Wilford & Associates, in Angriff genommen wurde, noch seiner Verwirklichung harrt, ist die erste Bauphase der von dem britischen Architekten Sir Norman Foster gestalteten U-Bahn abgeschlossen. Beide Projekte werden nicht nur die Fortbewegung erleichtern, sondern mit ihnen werden auch neue Büroflächen, öffentliche Plätze und Grünflächen in der Stadt entstehen. Die Verwandlung des leerstehenden Alhóndiga-Lagerhauses, ein Relikt des Industrialismus im frühen zwanzigsten Jahrhundert, in eine Kultureinrichtung für die Ausstellung zeitgenössischer Kunst, hätte sich in die Pläne zur Aufwertung der Stadt nahtlos eingefügt. Doch die Basken besaßen keine Kunstsammlung von internationalem Rang, die sie in dem neuen Museum hätten ausstellen können, noch verfügten sie über das für die Verwaltung einer solchen erforderliche Know-how. Hier konnte der Guggenheim Stiftung eine entscheidende Rolle zukommen.

Eine andere Frage ist, warum es Thomas Krens nicht irritierte, daß dieser neue Kulturschauplatz so weit entfernt von allen traditionellen Zentren sein würde. Hierauf gibt er selbst die Antwort in seiner Vision von den Chancen des Museums in unserer Zeit: »Museen sind eine Idee des acht-zehnten Jahrhunderts – also eine enzyklopädische Idee – in einer Schachtel des neunzehnten Jahrhunderts – dem erweiterten Palast, der sein strukturelles Schicksal im zwanzigsten Jahrhundert noch eine Zeitlang erfüllte. (...) Das Konzept ›Idee-des-achtzehnten/Schachtel-des-neunzehnten-Jahrhunderts‹ basierte auf einer Pferde-und-Kutschen-Kultur, in der die Leute in ländlichen Regionen lebten und ins Zentrum, in das zentrale Museum fuhren. (...) Da die Leute im allgemeinen aber nicht sehr mobil waren, vertrat man die Auffassung, die Idee des Museums als enzyklopädischem Ort müsse überall reproduziert werden.« Krens hob hervor, daß diese Institution den heutigen kulturellen Erfordernissen nicht mehr angemessen sei und daß sogar relativ junge Museen wie das Guggenheim und das Museum of Modern Art

Innenaufnahmen des Temporary Contemporary im Museum of Contemporary Art in Los Angeles (1983).

mit vielen Problemen, darunter auch Raumproblemen zu kämpfen hätten: Ihre Sammlungen seien wesentlich umfangreicher als das, was sie ausstellen könnten. Außerdem seien die Räumlichkeiten, selbst die von Museen neueren Datums wie das 1959 eröffnete Solomon R. Guggenheim Museum, angesichts der komplexen Natur und der großen Formate der zeitgenössischen Kunst unzureichend. Krens räsonierte: »Ist die Größe einer Schachtel ein Maßstab für die Richtigkeit ihres Bemühens?« Verschiedene Lösungen für diese Probleme gegeneinander abwägend, schlug er schließlich vor:

»Sieht man die heutige Gesellschaft und Transportsituation, dann muß das Museum nicht im Zentrum des Universums stehen, um ein überzeugendes Programm zu haben. Die Menschen werden, wenn die Kunst bedeutend ist, auch kommen, um sie zu sehen und zu ihr hinpilgern. So läßt sich auch eine größere Spezialisierung begründen. Man kann es sich leisten, unterschiedliche Identitäten anzunehmen, weil man nicht mehr an die Vorstellung des Museums als enzyklopädischem Ort gebunden ist (...) Ein Museum kann in einer alten Textilfabrik in Massachusetts untergebracht sein [wie das Massachusetts Museum of Contemporary Art], weil diese außerordentlich viel Platz bietet, etwas, dessen man sich in New York vielleicht niemals erfreuen wird; es kann einer Installation – und einer großformatigen Installation obendrein – einen festen Platz geben, den diese womöglich lange behalten kann.«

Als die baskische Regierung Krens fragte, was er im Hinblick auf die architektonische Entwicklung der Alhóndiga empfehlen würde, war dessen erster Gedanke: »Vielleicht nicht diesen Glaskubus bauen und einfach nur versuchen, das Gebäude zu restaurieren.« Der Innenraum stellte ein Problem dar, weil er von zahlreichen Säulenreihen reglementiert wurde, zwischen denen die Zwischenräume nicht mehr als 3 Meter betrugen. Auch die niedrigen, nur etwa 3 1/2 Meter hohen Decken waren ein Hindernis. Giménez wies darauf hin, daß die Parkgarage auf der anderen Seite der Straße, mit einer sich über mehrere Stockwerke erstreckenden Rampe, für Museumszwecke besser geeignet sein könnte, da sie die Möglichkeit großer offener Ausstellungsräume mit wesentlich höheren Decken böte. Obwohl Krens das Projekt nicht aufgeben wollte, blieb er skeptisch, ob die Gebäude, einzeln oder gemeinsam, als Standort funktionieren könnten. Er beschloß, eine weitere Meinung einzuholen, und bat daher den in Los Angeles ansässigen Architekten Frank Gehry, nach Bilbao zu kommen.

Außenansicht des Temporary Contemporary in Los Angeles.

An Krens' Wahl war nichts Ungewöhnliches. Im Oktober 1988 hatte er Frank O. Gehry and Associates sowie Venturi, Rauch and Scott Brown und andere mit der Entwicklung eines Masterplans und einer Durchführbarkeitsstudie für die strukturelle Umwandlung der ehemaligen Sprague Technologies – eines aus achtundzwanzig Gebäuden bestehenden Fabrikkomplexes in North Adams, Massachusetts, ehemals eine florierenden Stadt mit Textilfabriken, die aber heute wirtschaftlich am Boden liegt – in das Massachusetts Museum of Contemporary Art (MASS MoCA) beauftragt, das nach seiner Fertigstellung 1998 das weltgrößte Museum für zeitgenössische Kunst und Architektur sein wird. Obwohl es einen leicht veränderten Schwerpunkt haben wird und seine Verwaltung vollständig unabhängig ist, kann auch dieser Bau als Teil von Krens' Vision eines erweiterten Guggenheim betrachtet werden.

Gehry hatte sich mit der Verwandlung von Industrieflächen für das Museum of Contemporary Art (MOCA) in Los Angeles bereits einen Namen gemacht. Hier sollte eine etwa 15.400 Quadratmeter umfassende Lagerraumfläche in Ausstellungsräume für großformatige Kunstwerke in allen Medien – Design, Architektur, aber auch Kunst und Video – sowie in Räume für Tanz- und Musikaufführungen verwandelt werden. Das Temporary Contemporary sollte nur drei Jahre lang genutzt werden, bis zur Fertigstellung eines ständigen Museumsbaus auf dem Bunker Hill im Zentrum von Los Angeles, der von Arata Isozaki entworfen wurde.

Die Entwurfsphase für das Temporary Contemporary begann im Sommer 1982, im November 1983 wurde das Gebäude fertiggestellt. Gehry begann mit Materialien zu arbeiten, die er in Little Tokyo vorfand. Die mit Redwood überzogenen Stahlträger wurden feuerresistent gemacht und blieben unverschalt; Betonböden wurden grau gestrichen. Künstliches und natürliches Licht – Industrie-Oberlicht aus Drahtglas und Fenster im oberen Bereich, die die Innenräume der Galerien erhellen – wurden miteinander kombiniert. Eine Reihe von Rampen gewährleistet den Zugang für Behinderte. Als Material für die Laderampe wählte Gehry Wellblech und akzentuierte den Eingang des Gebäudes mit einem Vordach aus Stahlgeflecht, der die Central Avenue überspannt, die er mit Genehmigung von Stadt und Gemeinde sperren durfte. In einer Besprechung in der *New York Times* vom 20. November 1983 schrieb John Russell: »Für den kunsterfahrenen Besucher beruht die Faszination des Temporary Contemporary darauf, daß sich das wiederhergestellte Gebäude – obwohl eine beispielhafte Umsetzung lässigen Raffinements – in einer Gegend befindet, die überhaupt nichts mit Hochkultur zu tun hat.« Das mittlerweile unter dem Namen Geffen Contemporary firmierende Temporary Contemporary war so erfolgreich, daß es auch nach der Fertigstellung des Isozaki-Baus nicht geschlossen wurde. Im Verlauf des letzten Jahrzehnts hat sich gezeigt, daß diese Art Museum in Form eines großen Lagerhauses mit hohen Decken eine bessere Lösung für die Präsentation der Kunst von heute ist. Wenn es irgendeine Möglichkeit gab, die Alhóndiga umzugestalten, das wußte Krens, dann war Gehry der richtige Mann dafür.

Am 20. Mai 1991 kam Frank Gehry nach Bilbao und sah sich gründlich um. Seine unmittelbare Reaktion, die der von Krens ähnelte, war, das Projekt Alhóndiga sei kein realisierbarer Vorschlag für ein Museum. Es sei besser, das Lagerhaus in ein Hotel mit Geschäften zu verwandeln, dabei jedoch die existierende Struktur zu erhalten. Ein Abriß der Außenseite würde den Charakter dieses Stadtviertels zerstören, und nur die äußere Hülle für den Neubau zu erhalten, hätte einen Mißklang von Maßstab und Stil zur Folge. »Ich riet, das Museum anderswo zu bauen«, erinnerte Gehry sich 1995 in einem Interview. Auf die Frage der Basken, welchen Ort er wählen würde, habe er geantwortet

»Am Fluß (...) weil sie mir den ganzen Tag lang erzählt hatten, daß die Gegend am Fluß umgestaltet würde (...) Mir gefiel dieser Ort, weil er teilweise unter der Brücke hindurchführte.« Als man ihn in dem Interview danach fragte, ob er tatsächlich den Ort ausgewählt habe, für den man schließlich den Wettbewerb ausgeschrieben hätte, antwortete er: »Das stimmt, dieser befindet sich in der Nähe der Kunstakademie, und wir begannen, über den möglichen Zusammenhang nachzudenken.«[3]

Krens' beschreibt seinen Besuch der Alhóndiga mit Gehry folgendermaßen: »Trotz der Tatsache, daß es da viel Platz gab, und man um neun Uhr abends – es war fast Sommer und ringsumher war es hell wie am lichten Tag – oben auf diesem Gebäude herumspazieren konnte, kamen wir – ich glaube beide widerstrebend – zu dem Schluß, daß es nicht ging. Und das war auch keine große Überraschung für mich. Frank fuhr also, und auch ich bereitete meine Abreise für denselben Tag vor. Und wir machten den Basken mehr oder weniger klar, daß es nicht möglich sei.«

Doch damit war die Geschichte offensichtlich noch nicht zu Ende. Als Frank Gehry im November 1996 nochmals über dieses Ereignis sprach, sagte er: »Nun, an jenem Abend [dem 20. Mai] erstiegen wir vor dem Abendessen – es war noch hell draußen – noch einmal den Hügel auf der anderen Seite des Flusses. Und die Basken zeigten Krens und mir die Stadt, und sie wiesen auf die Alhóndiga, und ich erinnere mich, daß ich von oben auf mehrere Stellen gezeigt und gesagt habe, ›das Hafenviertel ist spannender‹, und das habe ich dann beim Abendessen nochmal gesagt. Aber wie dem auch sei, am nächsten Morgen ging Tom joggen, und lief von hier über die Brücke nach da unten und dann wieder zurück. Da wurde ihm klar, daß dies das kulturelle Zentrum ist. Ich glaube, wir haben es gemeinsam entdeckt, aber er hat den Gedanken zu Ende geführt.«[4]

Im Februar 1997 antwortete Krens auf die Frage, wie das Hafengebiet ins Spiel gekommen sei: »Als klar wurde, daß die Alhóndiga als Standort nicht funktionieren würde, und wir uns bereits innerlich damit abgefunden hatten, das Projekt aufgeben zu müssen, kam mir die entscheidende Einsicht – und diese Einsicht war das Ergebnis meines berühmten Laufs durch die Stadt, wobei ich mich nicht erinnern kann, ob es Morgen oder Abend war. Ich wohnte in einem Hotel hier drüben, dem Lopez de Haro, und ich lief am Museum der Schönen Künste vorbei und überquerte dann die Brücke zur Uni-

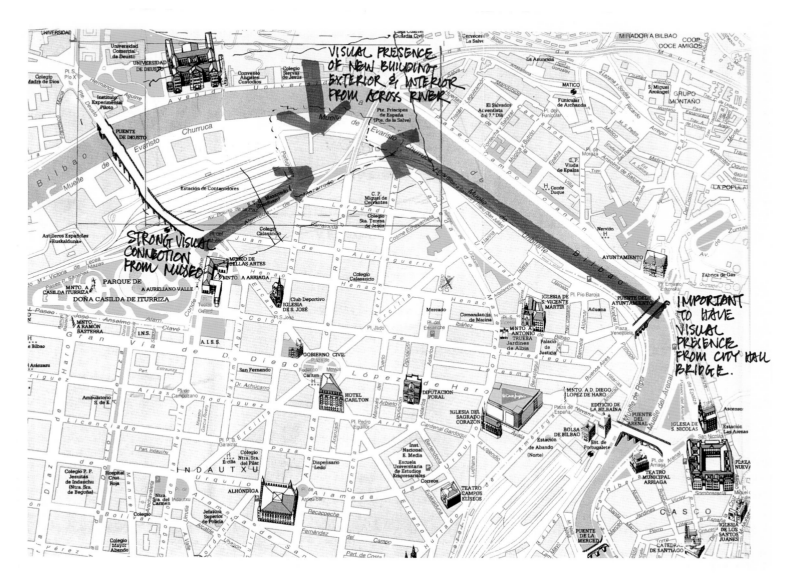

Stadtplan von Bilbao mit handschriftlichen Eintragungen Gehrys vom 7. Juli 1991.

Das Ufergelände, auf dem das Guggenheim Museum Bilbao heute steht, Aufnahme vom Dezember 1991.

versität – und das Museum steht jetzt genau hier. Ich lief zur Oper [Teatro Arriaga] runter und dann zurück zum Museum der Schönen Künste, und dann realisierte ich, daß dies tatsächlich das, wie ich es nannte, geokulturelle Dreieck von Bilbao war. Die Tatsache, daß die Flußgegend genau in der Mitte lag, war reiner Zufall, denn es war ein offenes, frei zugängliches Gebiet, aber das waren die drei wichtigsten Kultureinrichtungen, das Museo de Bellas Artes, die Universität und die Oper.«

Bei der Beschreibung seiner morgendlichen Joggingrunde erinnerte sich Krens plötzlich an seinen allerersten Aufenthalt in Bilbao am 9. April, als er am Ende des Tages und nach den lebhaften Eindrücken eines Hubschrauberflugs über die Stadt, den er anläßlich seines Besuchs beim baskischen Präsidenten unternommen hatte, mit dem Auto vom Flughafen über den Bergkamm gefahren wurde und sich ihm eine spektakuläre Panoramaansicht des Landstreifens am Fluß mit dem Teatro Arriaga, dem Museo de Bellas Artes und der Universidad de Deusto auf der anderen Flußseite bot. Daneben befand sich ein Stückchen Land mit einer verlassenen Sägemühle aus Backstein. In der Mitte ihres verfallenen Daches erhob sich ein einziger Schornstein, der die Form eines Minaretts hatte. Krens erinnerte sich: »Kein Gleis war jemals aus dem Fabrikkomplex entfernt worden, und in der Umgebung und unter der Brücke standen viele zurückgelassene Autos. Es war klar, daß dieser Teil der Flußgegend nicht besonders effektiv genutzt worden war. Ich bin noch mehrere Male hingegangen. Und es kann sein – jetzt, wo ich darüber nachdenke –, daß ich Frank im Grunde eingeladen habe, damit er die Argumente, die gegen die Alhóndiga vorgebracht wurden, bestätigte (...) Ich hatte dabei diese Sache schon im Hinterkopf. Denn um ein großartiges Gebäude entstehen zu lassen, benötigt man einen großartigen Standort – darum ging es.«

Juan Ignacio Vidarte, damals Regierungsdirektor für Steuern und Finanzen der Provinz Vizcaya und der zukünftige Generaldirektor des Bilbao Guggenheim, war es, der Gehry an jenem frühen Abend des 20. Mai auf den Gipfel des Hügels führte. Bei dem Versuch, sich an die Ereignisse jenes Tages zu erinnern, entsann er sich deutlich der Tatsache, daß er ganz darauf konzentriert war, auf die Alhóndiga auf der anderen Seite des Nervión hinzuweisen: »Man wollte zwei Fliegen mit einer Klappe schlagen«, sagte er, nämlich ein verfallenes Wahrzeichen sanieren und es zugleich in ein Museum für moderne

und zeitgenössische Kunst verwandeln.[5] Er erinnerte sich nun auch wieder daran, daß Gehry ihn nach der Biegung des Flusses gefragt hatte, und daß er nicht hatte erklären können, warum eine derart zentral gelegene Stelle so heruntergekommen war. Vidarte erwähnte außerdem, daß sich während des Abendessens große Sorge unter den Basken breitmachte, als Krens Gehry in seiner Ablehnung des Standorts Alhóndiga beipflichtete. Ihnen erschien die Verlegung des Standorts an den Fluß ein unmögliches Unterfangen, denn so weit ihnen bekannt war, bestand das Hafenviertel aus zahlreichen Privatgrundstücken, von denen einige Institutionen gehörten, die von der spanischen Zentralregierung abhängig waren. Sie meinten daher, daß Krens das Projekt blockieren wollte. Spätere Nachfragen ergaben dann, daß der Vorschlag doch realisierbar war.

Auf die Frage, ob Gehrys Sicht der Ereignisse vom 20. Mai sich von denen Vidartes und seiner eigenen unterscheide, sagte Krens: »Nun, ich glaube, daß es hinsichtlich gewisser Teile des Entwurfsprozesses widersprüchliche Auffassungen gab; aber daß es die bei gewissen Teilen des historischen Prozesses gegeben hätte, glaube ich eher nicht (...) Es geht hier nicht um meine Sicht oder Erinnerung im Gegensatz zu der von Frank oder Juan Ignacio, sondern darum, daß die Information korrekt weitergegeben wird.«

Dennoch gibt es drei voneinander abweichende Versionen, auch wenn sie im nachhinein in einer einzigen Sicht zu verschmelzen scheinen: Die Unvermeidbarkeit des Standorts Nervión für das Guggenheim Bilbao, ungefähr zwischen der Puente de la Salve und der Puente de Deusto. Mit Roland Barthes zu sprechen: »Die Einheit eines Textes beruht nicht auf seiner Quelle, sondern auf seinem Ziel.«[6]

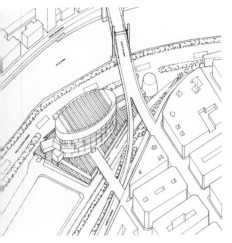

*Links und unten*: Arata Isozakis Beitrag zum Wettbewerb für das Guggenheim Museum Bilbao im Juli 1991.

## Über die Wahl des Architekten und die Formulierung eines vorläufigen Programms

Nachdem die baskische Regierung den Kauf des neuen Grundstücks am Fluß bestätigt hatte, bestand der nächste Schritt darin, einen Bezug zwischen den charakteristischen Merkmalen des Standortes und einem neuen Museum herzustellen. Die Puente de la Salve, eine große östlich gelegene Brücke, mußte ebenso wie die Muelle de Evaristo Churruca, eine Uferstraße im Norden, mit in die Pläne einbezogen werden, und auf der Südseite sollten die Gebäude entlang der Alameda de Mazarredo und ihre Verbindung zum existierenden Stadtbild berücksichtigt werden. Heinrich Klotz, Gründungsdirektor des Deutschen Architektur-Museums in Frankfurt am Main und Spezialist für zeitgenössische Architektur, wurde gebeten, bei dem Auswahlprozeß als Berater und Schiedsrichter zu fungieren. Der Vorstand der Guggenheim Museum Bilbao Foundation unter dem Vorsitz von Josu Bergara sollte den Architekten bestimmen. Man einigte sich auf einen kurzen Wettbewerb zwischen einem amerikanischen, einem europäischen und einem asiatischen Architekten. Isozaki, der japanische Architekt, gestaltete zu dieser Zeit zwei Stockwerke eines Industriebaus im Zentrum New Yorks zum Guggenheim Museum SoHo um, das im Juni 1992 eröffnet werden sollte, gleichzeitig mit dem erneut restaurierten Solomon R. Guggenheim Museum an der Fifth Avenue und der Einweihung eines turmartigen Erweiterungsbaus zum Gebäude von Frank Lloyd Wright, das von Gwathmey Siegel and Associates entworfen wurde. Als amerikanischen Teilnehmer wählte man Gehry, und Europa wurde durch das unter dem Namen Coop Himmelblau bekannte Wiener Team von Wolf D. Prix und Helmut Swiczinsky vertreten, die gerade den zweiten Platz im Wettbewerb für den Bau des ZKM (Zentrum für Kunst und Medientechnologie) in Karlsruhe gewonnen und deren Pläne hierfür Krens beeindruckt hatten.

Am 26. Juni schickte Krens jedem Architekten das gleiche Memorandum über den Auswahlprozeß. Sie alle besichtigten Ende Juni/Anfang Juli den Standort, und begannen sofort, Skizzen anzufertigen. Hinsichtlich der Präsentationsform machten die Organisatoren ihnen keine Auflagen: »Was immer ihnen geeignet schien, ihre Vorstellung von dem Gebäude zu vermitteln«, sollte genügen. Das Auswahlkomitee war nicht an technischen Fragen und Details interessiert; es ging ihm um einen Gesamt-

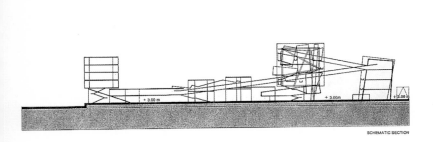

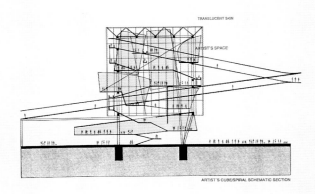

eindruck von der Vision einzelner Architekten. Statt sich also etwa auf eine genaue Anzahl von Galerien festzulegen, lieferten die Architekten eine Grobeinschätzung des Maßstabs und präsentierten nur Typen nicht näher bestimmter Ausstellungsräume. Krens erläuterte, daß es dem Komitee anfangs darum ging, übertrieben detaillierte Entwürfe zu verhindern, um später nicht um Änderungswünsche kämpfen zu müssen. Nachdem die Vision der Gesamtanlage präsentiert worden war, konnte eine Auswahl getroffen werden, und erst dann sollte der eigentliche Entwurfsprozeß beginnen.

Eines der bemerkenswerten Merkmale des zukünftigen Museums war das ungewöhnliche Verhältnis von 2:1 zwischen den Ausstellungsflächen und allen anderen Museumseinrichtungen, das dank der speziellen Partnerschaft mit der Solomon R. Guggenheim Foundation möglich war. Krens erläuterte, es hätte keinen Sinn gehabt, Serviceeinrichtungen, die es in New York bereits gab, zu verdoppeln; folglich wurde weniger Bürofläche benötigt. »Unsere Belegschaft in New York besteht aus 350 Personen. In Bilbao werden es nur ungefähr 150 sein, aber Bilbao ist zweimal so groß, es gibt also in finanzieller Hinsicht eine deutliche Verbesserung dadurch, daß wir die beiden Museen gemeinsam führen.« Bilbao sollte ein Museum der *Kunst* werden.

Bis zum 20. Juli waren die Vorschläge der Architekten eingereicht und ins Hotel Frankfurter Hof in Frankfurt am Main gebracht worden. Isozaki sandte Skizzen eines relativ monolithischen Baus mit verhaltenen Anklängen an die Puente de la Salve, eine der Anforderungen des Programms. Sowohl Coop Himmelblau als auch Gehry präsentierten Skizzen und vorläufige Modelle. Beide planten, auch unterhalb der Brücke zu bauen und buchstäblich beide Seiten einzubeziehen. Im Schema von Coop Himmelblau blieb die alte Fabrik mit dem Schornstein als integraler Bestandteil erhalten; bei Gehry nicht. In den Entwürfen beider Architekten war eine extrem große Galerie vorgesehen, eine weitere Vorbedingung, um solch komplexe Arbeiten der Sammlung Guggenheim wie Dan Flavins Lichtinstallationen oder, wie sich später herausstellte, eine 172 Tonnen schwere Stahlskulptur Richard Serras mit dem Titel *Snake*, die aus drei fast vier Meter hohen und über 30 Meter langen Windungen besteht, unterbringen zu können.

Ziel des Auswahlkomitees war es, ein Gebäude zu finden, das mehr als die Summe seiner Teile sein würde und das außerdem eine starke symbolische Identität besäße, so daß die Menschen den Bau um seiner selbst willen würden sehen wollen, ohne deswegen die darin präsentierten Kunstwerke zu vernachlässigen. Die Orientierung an Frank Lloyd Wrights Guggenheim Museum in der Fifth Avenue war unvermeidlich. Das Konzept der neutralen Box wurde entschieden abgelehnt, aber dafür gab es häufige Verweise auf das Opernhaus von Sydney von Jörn Utzon, um deutlich zu machen, worum es ging. »Es war nicht sofort klar, daß Frank das Rennen machen würde«, erklärte Krens. Coop Himmelblau »hatten sehr sensible Arbeit geleistet (...) Die geradlinigen Formen sollten wirklich ins Innere des Rasters übersetzt und von diesem abgehängt werden. Man kam in Räume unterschiedlicher Gestalt, doch wenn sie nachts erleuchtet wurden, schien die äußere Hülle völlig zu verschwinden. Das war eine äußerst interessante Idee.« Gleichwohl war es Gehrys Vorschlag für das Guggenheim Museum Bilbao, der sich letzten Endes während der Zusammenkünfte am 20. und 21. Juli durchsetzte.

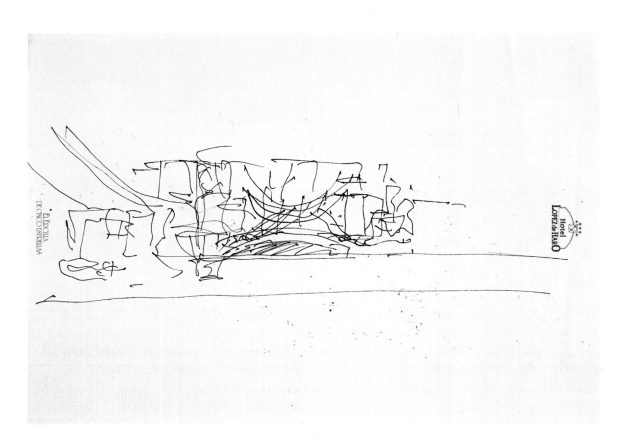

## Die Ursprünge des Guggenheim Museums Bilbao

**oder die Geschichte der ersten Skizzen des Architekten: wie sie programmatisch umgesetzt, plastisch definiert, gelegentlich schöpferisch fehlinterpretiert und schließlich in ein vorläufiges Modell umgesetzt wurden – und das alles in kaum zwei Wochen**

Am 5./6. Juli 1991 kehrte Gehry in Begleitung seiner Frau Berta, die fließend Spanisch spricht, nach Bilbao zurück, diesmal nicht als Berater, sondern als Mitbewerber, der den neuen Standort begutachtete. Am Morgen des 7. Juli, nachdem er sich die zu Fuß etwa fünf Minuten entfernte Stelle angesehen hatte, begann er, ins Hotel López de Haro zurückgekehrt, seine ersten Eindrücke auf der Vorder- und Rückseite des Hotelbriefpapiers zu skizzieren – hastiges Gekritzel, rasche Notizen, bei denen die Hand als unmittelbar ausführendes Organ des Geistes fungiert. Indem er sich des Raums auf dem Papier mit dem Stift bemächtigte, begann Gehry den Standort zu erkunden, sich mit ihm vertraut zu machen. Die einzelnen Komponenten bemaß er im Verhältnis zu den Gebäuden entlang der Alameda de Mazarredo. Das natürliche, sich bis ans Flußufer fortsetzende Gefälle ließ Gehry, der auf der Suche nach einer passenden Form war, an eine auf dem Grundriß eines Amphitheaters basierende Ansammlung von Gebäuden denken, was dem Museum ein markantes Erscheinungsbild verliehen hätte. Er bemühte sich um einen Dialog zwischen dem unbebauten Flußufer unten und dem städtischen Areal oben auf dem Plateau, wie es ihn vorher nicht gegeben hatte. Den Umgestaltungsplänen der Stadt zufolge, sollte das Gebiet in ein grünes Tal verwandelt werden, aber Gehry wollte die Industrieatmosphäre des Hafenviertels am Fuße der Stadt nicht preisgeben.

Die Skizze auf der Rückseite des Briefpapiers zeigt Gehrys Idee einer Allee, die den Standort mit dem Museo de Bellas Artes verbindet. Der Architekt dachte an ein ausgedehntes öffentliches Areal, einen Wassergarten sowie ein geschlossenes Areal, eben das über eine Rampe zu erreichende Museum. Rampen spielen auch bei der Skizze auf der Vorderseite jenes Blattes eine herausragende Rolle, die, neben einem plastisch durchgestalteten Restaurant, welches sich um die Ecke der dem Fluß zugewandten Fassade windet und sich in Richtung der Westfassade fortsetzt, im Osten die Puente de la

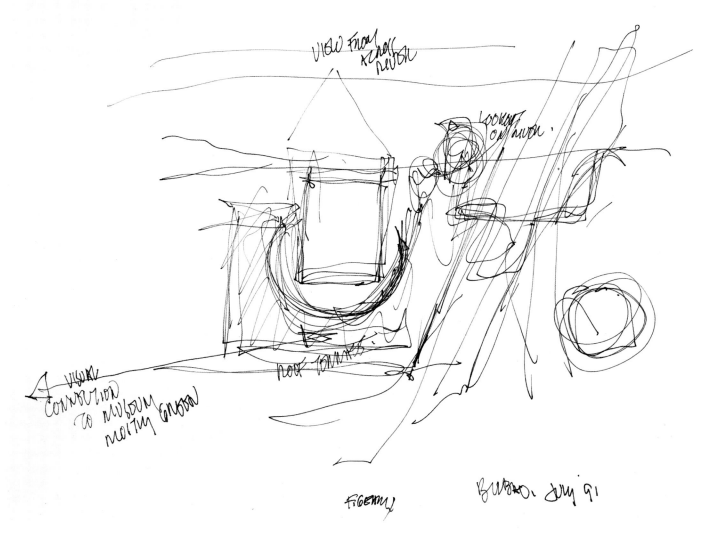

Guggenheim Museum Bilbao, Grundriß vom 7. Juli 1991. Tusche auf Papier, 23 x 30,5 cm.

Provisorisches Amphitheater für die Weltausstellung 1984 in New Orleans.

Salve mit zwei ins Wasser ragenden Pylonen erkennen läßt. Das abschüssige Gelände unterhalb der Brücke, deren Fahrbahn dieses wie ein Dach überspannt, erweckt den Eindruck eines Freiluftamphitheaters, während die vorspringenden Pylone an ein Proszenium denken lassen. Als Bühne hätte ein den Fluß herauffahrendes Boot fungieren können. Im Rückblick enthält dieses Konzept, obwohl es als unmittelbare Reaktion auf die vorgefundene Situation entstand, auch etwas von einem früheren Projekt Gehrys, ein provisorisches, überdachtes Amphitheater mit 5.000 Sitzen, das der Architekt 1984 für die Weltausstellung in New Orleans, Louisiana, errichtete. Die Ähnlichkeiten sind augenfällig: der Standort in New Orleans befand sich an einem Kai am Mississippi; das halbrunde, sich gegen den Fluß neigende Dach wurde von Säulen gestützt, die sich hinter dem Zuschauerbereich und auf der Bühne befanden; ein Proszenium hinter dem Bühnenbereich bildete einen Rahmen für Ereignisse, die sich entlang des Flusses abspielten, ganz ähnlich wie Gehry das bei den Pylonen der Puente de la Salve beabsichtigte.

»Ich begriff erst später, daß das Guggenheim Museum Bilbao etwas mit meinen vorherigen Projekten zu tun hatte«, berichtete der Architekt, »denn, wissen Sie, eigentlich schaue ich mir einfach das an, was ich gerade sehe. Ich neige dazu, in der Gegenwart zu leben, und das, was ich sehe, ist das, was ich mache. Und was ich mache, ist reagieren. Dann merke ich, daß ich etwas schon einmal gemacht habe. Ich glaube, das liegt daran, daß man seiner eigenen Sprache nicht entkommen kann. Wieviele Dinge kann man wirklich während der eigenen Lebenszeit erfinden? Man präsentiert bestimmte Sachen und spricht darüber. Das Spannende ist, gemeinsam an diesen Sachen herumzuzerren: Krens, Juan Ignacio, die Basken, ihr Wunsch, die Kultur zu benutzen, um die Stadt an den Fluß zu bringen, und diese Industrieatmosphäre, von der ich allerdings befürchte, daß sie sie verlieren werden, denn es besteht eine gewisse Tendenz, das Flußufer in etwas wie den Potomac Parkway in Washington zu verwandeln. (...) Die Brücke ist wie ein schroffer Anker. Nimmt man sie weg, sieht die Geschichte gleich völlig anders aus. Ich glaube, ich habe auf die Brücke reagiert, auf die Härte dieser Hafengegend, ihren industriellen Charakter. Das Programm, mit dem Tom (Krens) daherkam, lautete MASS MoCA, große industrielle Raumvolumen, (...) und das alles wußte ich, als ich zu zeichnen anfing.«

In der gründlicher ausgeführten der beiden schematischen Skizzen geht ein klobiges, mit der erläuternden Anmerkung »Dachterrassen« versehenes Gebäude, das leichte Anklänge an die Alhóndiga aufweist, in eine halbrunde Form über, die einen rechteckigen Wassergarten umfängt, der an den Fluß grenzt. Die Skizze zeigt den Blick von der anderen Seite des Flusses: Wiederum ist eine starke visuelle Anknüpfung an das Museo de Bellas Artes beabsichtigt, wie in einer von einem Richtungspfeil begleiteten kurzen Notiz betont wird. Die Worte »vor allem Grünfläche« stehen für die durch die Umgestaltung gegebene Möglichkeit einer Grünzone zwischen dem alten und dem neuen Museum. Eine »Aussicht auf den Fluß« und ein hoher »Reader« (F. Gehry) in Form eines Turmes, der auf der anderen Seite der Brücke plaziert ist, um diese einzubeziehen, sind als plastische Formen gezeichnet, die sich durch eine intensive Kreisbewegung in Masse verwandeln. Leichte Verdickungen markieren Anfang und Ende nach innen und nach außen gewundener, spiralförmiger Linien.

Eine einfache Skizze eines ähnlichen Schemas lokalisiert einen Schlüsselpunkt, den Eingang an der Kreuzung der Almeda de Mazarredo und der Travesía de Portugalete, die auf den Nervión zuführt, und nähert sich damit bereits späteren Entwicklungen an. Vom Eingang aus verlaufen Rampen nach unten zu der Aussichtsplattform; ihr gegenüber am anderen Flußufer befindet sich der hohe, in die Puente del la Salve eingekeilte Reader. Gehry zeichnete das Flußufer zweimal, wobei er es einmal nach oben verschob, um so Raum für den Wassergarten zu gewinnen.

In jeder der vier frühen Skizzen steht die Gesamtanlage, also die Anordnung der Basiselemente und die gleichzeitige Erkundung des Standorts, im Vordergrund gegenüber allen anderen ästhetischen Aspekten des Entwurfs. Die Skizzen ergänzen den Plan des Geländes, auf dem Gehry die Stadt durch drei rote Pfeile einbezieht. Diese tragen folgende Vermerke: »visuelle Präsenz des neuen Gebäudes, Äußeres und Inneres von der anderen Flußseite aus«, »starke visuelle Verbindung vom Museo her« und »wichtig: visuelle Präsenz von der Rathausbrücke aus«. Durch die Betonung der Verbindung zwischen dem Stadt-Plateau oben und dem Abhang zum Fluß, der für kulturelle Zwecke neu genutzt werden sollte, und durch die Entscheidung, wesentliche Komponenten des Museums durch den Bezug ihres Maßstabs zu dem von bestimmten Gebäuden in der Umgebung dem Standort anzupassen, schuf Gehry einen Dialog zwischen den Strukturen der Umgebung und seinem ursprünglichen Formvokabular.

Auch wenn sie in großer Eile zu Papier gebracht worden waren, lieferten diese ersten Eindrücke und Entwürfe doch ein Denkschema für die weitere Entwicklung des Projekts. Die Spontaneität und die Neugier des Beginns verliehen ihnen eine Unmittelbarkeit und Lebendigkeit, die es zwar auch bei gewissen, bei der Herstellung des Modells auftretenden Phasen gibt, die sich aber in den Modellen selbst nicht erhalten läßt. Es ist daher um so bemerkenswerter, daß sich etwa die Vision der Fassade auf der Flußseite, die in einigen der Skizzen zu erkennen ist, im fertigen Gebäude erhalten hat. »Ich bin normalerweise sehr glücklich, wenn ich zeichne«, hat Gehry gesagt. »Ich zeichne entweder, wenn ich alleine daheim oder im Flugzeug bin oder wenn ich in einem Hotelzimmer sitze und mich mit irgendetwas beschäftigen muß. Wenn ich dann von einer Reise oder irgendwoher zurückkomme, gebe ich die Zeichnung Edwin oder sonst jemandem, der an dem Modell arbeitet. Es ist ein Ausgangspunkt; Edwin schafft es normalerweise, etwas daraus zu machen.«

Daheim in Los Angeles wurde unterdessen in Gehrys Abwesenheit ein schematisches Modell hergestellt, das im wesentlichen mit dem vorläufigen Programm übereinstimmte, welches das Guggenheim

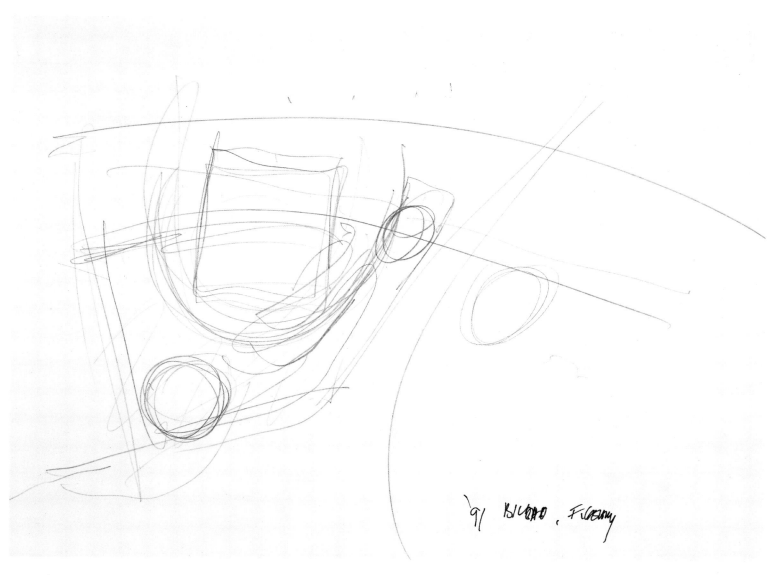

Guggenheim Museum Bilbao, Grundriß vom 7. Juli 1991. Bleistift auf Papier, 23 x 30,5 cm.

Schematisches Modell, erarbeitet
für das Treffen von Edwin Chan
und Frank Gehry am 9. Juli 1991
in New York.

Ende Juni verschickt hatte. Der Architekt bat seinen Projektleiter Edwin Chan, ihm das Modell nach
New York, seinem nächsten Reiseziel, mitzubringen. Zu diesem Zeitpunkt war das Modell kaum mehr
als ein leichtes Reiseset: einige elementare, auf Formschaum aufgeklebte Grundrißformen aus amerikanischem Lindenholz, die drei rechteckige, sechs Meter hohe Stockwerke von 5.000 Quadratmetern
bzw. zwei größere von 12.000 Quadratmetern darstellten. Eine Zikkurat und ein Achteck aus spitz
zulaufenden, willkürlich gewählten Böden, dienten als alternative Formen. Abgerundete, quadratische
und dreieckige recycelte Holzreste repräsentierten plastische Objekte, die sich allmählich in Galerien,
ein Restaurant oder andere Museumseinrichtungen verwandeln sollten. Größere Holzstücke verschie-
dener Höhe stellten die umliegende Stadt dar. Ihr Maßstab kam demjenigen der Wohnhäuser am Kai
auf der anderen Seite des Flusses nahe, während die Anzahl der Stockwerke auf Grundlage der vor Ort
entstandenen Photos geschätzt wurde.

Am 9. Juli trafen sich Gehry und Chan im New Yorker Büro des Architekten Peter Eisenman und arbei-
teten dort den ganzen Morgen lang in einem der Konferenzräume. Während die ersten vier Skizzen als
Reaktion auf den Standort entstanden waren, erhielt Gehry durch das vorläufige Modell, mit dem er
versuchte, sich an den Maßstab zu gewöhnen, faktische Informationen über die Anforderungen des
vorläufigen Programms und Antworten auf die Frage, wieviel Material der Standort vertragen würde,
so daß er »in seinem Kopf mit dem Ausformen« beginnen konnte. Er hatte nun etwas, gegen das er
anarbeiten konnte. Nachdem er zum Beispiel auf dem Grundriß »Knotenpunkte« wie den Eingang
oder das Restaurant entdeckt hatte und sich dank seiner früheren Skizzen darüber klar geworden war,
wie sie funktionierten, war er nun in der Lage, sie dreidimensional im Modell darzustellen: »Ich mache
diese kleinen Dellen rein, denn ich weiß jetzt, ich werde etwas Konkretes machen; also, rahmt die Box
ein.«

Mit Bezug auf die vorhandenen Büro- und Appartmenthäuser aus dem späten neunzehnten und
frühen zwanzigsten Jahrhundert war Gehry entschlossen, die Südfassade zur Alameda de Mazarredo
quadratisch und geradlinig zu gestalten. Die Nordseite konnte dann durch freiere, nautische Motive
aufgelockert werden, durch Segel oder durch geschwungene Bootsformen, die zur Strömung des Flus-

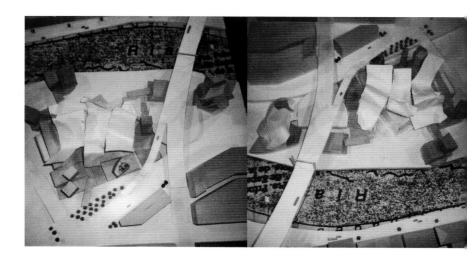

ses paßten. Der aus mehreren Blöcken bestehende hohe Reader auf der anderen Seite der Brücke sollte Räume aufnehmen, die einzelnen Künstlern gewidmet waren. Gehry arbeitete mit Chan an einer improvisierten Dachform, bei der er den Mittelteil des Modells mit drei gewellten, segelartigen Papierstreifen abdeckte. Da dies am Ende des Morgens erfolgte, beließen sie es zunächst dabei. Chen flog am nächsten Tag nach Los Angeles zurück, um die Veränderungen an dem Modell vorzunehmen, während Gehry nach Boston weiterreiste, um dort an seinem Projekt für ein Kindermuseum zu arbeiten, und dann am 11. Juli wieder nach Los Angeles zurückkehrte.

Die erste der nächsten im Flugzeug entstandenen Skizzenreihen treibt das Projekt noch einen Schritt weiter. Zwei rechteckige Gebäudekomponenten, die aus mehreren spitz zulaufenden Böden bestehen, umrahmen einen hofartigen Raum auf der Süd- und der Westseite. Ganz oben auf dem Gebäude deuten mehrere, aus einer einzigen Linie bestehende kreisförmige Konturen eine zukünftige plastische Ausarbeitung an. Ein länglicher Schnörkel steht für eine Rampe an der Westseite. Auf der Ostseite ist der Hauptkomplex mit der Brücke durch ein unter dieser befindliches Amphitheater verbunden. Das Fehlen des Wassergartens bedeutet nicht unbedingt, daß diese Idee aufgegeben worden ist; sie kann auch zeitweilig zurückgestellt worden sein und gegebenenfalls reaktiviert werden. Wiederum wird der Blick von der Flußseite dargestellt. Der angedeutete Restaurantbau hat durch das emphatische Kreisen von Gehrys Fineliner, der Spuren im Papier hinterläßt, an Plastizität gewonnen. Gehry, ein passionierter Eishockeyspieler, vergleicht Zeichnen gerne mit Eislaufen auf Papier, und er liebt das Gefühl, wenn der Filzstift darüber hinweghuscht: »Alles mit allem verbinden bedeutet mehr Freiheit, nicht loslassen müssen: Ich liebe den freien Fluß.«

Die nächste Skizze übersetzt den Grundriß in eine erste Idee für die Gestaltung der Uferfassade. Die Physiognomie des Gebäudes, wenngleich noch ohne eigentlichen Körper, beginnt deutliche Züge anzunehmen: das Restaurant mit der spiralförmigen Rampe und Anfänge dessen, was Gehry als Atriumhalle herausarbeiten wird, die von segelartigen, an die weißen Papierstreifen im Modell erinnernden Formen bedeckt und vor dem Eingang mit vertikalen Fensteröffnungen versehen ist. Drei Wellenlinien, die rhythmisch nach oben verlaufen und so einen Eindruck von Schichten und räumlicher Tiefe erzeugen, repräsentieren stufenartig ansteigende »Raumkörper« hinter dem Glas. »So zeichne ich einfach, wenn ich denke«, rief Gehry, als er sich die Zeichnung vor einiger Zeit wieder ansah. »Ich denke so. Ich

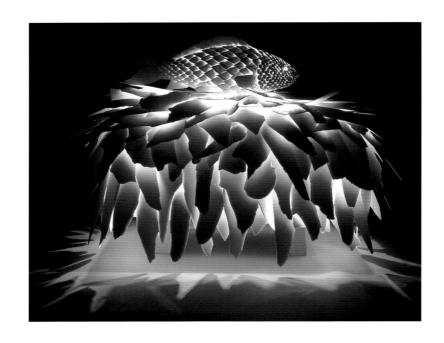

*Oben*: Von Gehry entworfene Fisch-Lampe aus Colorcore Formica, 1984.

*Gegenüberliegende Seite*: *Standing Glass Fish*, 1986, aus Draht, Holz, Glas, Stahl, Silicon, Plexiglas und Gummi, 671 x 427 x 259 cm.
Walker Art Center, Minneapolis, Stiftung von Anne Pierce Rogers zu Ehren ihrer Enkelkinder Anne und Will Rogers, 1986.

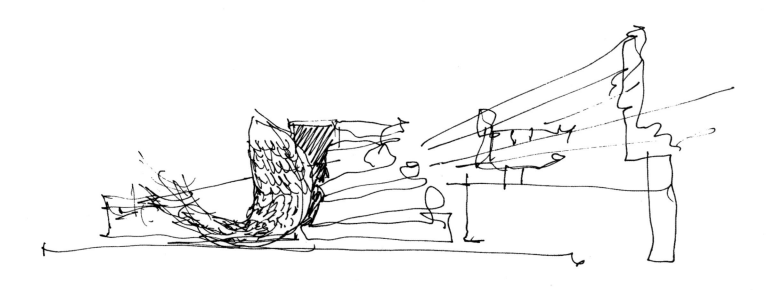

zustellen. Er begann, sich diese Entdeckung zunutze zu machen, indem er Fisch- und gelegentlich auch Schlangen-Lampen aus überlappenden Colorcore Formica-Elementen schuf. 1986 errichtete Gehry für seinen über 6,70 Metern hohen *Standing Glass Fish* für das Walker Art Center ein großes Holz-und-Stahl-Gerüst, das die diamantenförmigen Schuppen aus gehärtetem Glas trug und so eine großformatigere Ausführung ermöglichte. Im folgenden Jahr wurde in Kobe, Japan, sein Fishdance Restaurant fertiggestellt. In dieses war eine mit Kupfer verkleidete spiralförmige eckige Schlangenform und eine einundzwanzig Meter hohe Fischskulptur aus Metalldrahtgeflecht integriert.

Zwei Jahre vor dem Bilbao-Projekt machte Gehry den Vorschlag, einen Schlangenpavillon mit einem Sockel von 9,7 Metern Durchmesser und etwa 9 Metern Höhe aus einem goldfarbenen Rahmen aus rostfreiem Stahl mit Kupferverkleidung auf dem Library Square in Los Angeles zu errichten. Dieser Vorschlag wurde abgelehnt, doch 1991/92, baute er schließlich, während er das Guggenheim Museum Bilbao entwarf, eine 54 Meter lange und 35 Meter hohe, stark abstrahierte, schwebende Fischskulptur,

die als Teil des einer Promenade der Villa Olímpica in Barcelona als Schattenspender über einer Laden-passage entlang der Uferpromenade Paseo Maritimo dienen sollte. Schlangen- und Fischmotive bestimmten auch weiterhin das Schaffen des Architekten: Er erklärt seine ungewöhnliche Faszination durch die Form des Fisches mit einer lebhaften Kindheitserinnerung an seine Großmutter, mit der er donnerstags zum Einkaufen ging: »Wir gingen auf den jüdischen Markt, kauften einen lebenden Karp-fen, nahmen ihn mit in ihr Haus nach Toronto, taten ihn in die Badewanne, wo ich mit diesem gottver-dammten Fisch einen Tag lang spielte, und am nächsten Tag tötete sie ihn und machte ›gefilte Fisch‹.«[10]

Fischskulptur über der Promenade der Villa Olimpica, Barcelona, 1992.

*Rechts*: Die ursprüngliche Fabrik auf dem heutigen Gelände des Guggenheim Museums Bilbao.

*Unten*: Guggenheim Museum Bilbao, Ansicht von Norden, Juli 1991. Tusche auf Papier, 23 x 30,5 cm.

Guggenheim Museum Bilbao,
Ansicht von Westen, Juli 1991.
Tusche auf Papier, 23 x 30,5 cm.

Orientiert an Elementen, die am Standort neben dem Nervión bereits vorhanden waren, zeichnete Gehry die westliche Fassade des Bilbaoprojekts, ein langes rechteckiges Gebäude mit drei Backsteinschornsteinen, an dessen Seite, einem Ozeandampfer nicht unähnlich, eine Rampe nach unten führt. Am Rand vor der Atriumhalle erhob sich ein Restaurant in Gestalt einer abstrahierten Schlange. Die Riffelungen der beiden Gebäudeteile sollten Backstein darstellen, ein entfernter Anklang an den ursprünglich an dieser Stelle befindlichen Backsteinbau mit dem Schornstein in der Mitte. Das Backsteinmaterial und der Wunsch nach einer kleineren, leichter anzupassenden Struktur (das Restaurant) vor dem größeren Gebäude ließen Gehry an die ›Schlangen-*folly*‹ denken. Doch die Schlange, die für Gehry Feindseligkeit symbolisiert, stand im Widerspruch zu seiner Museumskonzeption.

Angesichts der knapp bemessenen Zeit von zwei Wochen griff Gehry naturgemäß auf jene Formen zurück, mit denen er am vertrautesten war. Die Verwendung der Schlange in diesem neuen Umfeld macht es erforderlich, sie ihrer alten Assoziationen zu entkleiden, sozusagen ihre alte Haut abzustreifen, um so den Weg freizumachen für eine »kleine Arbeit«, die Gehry als »stiefelartig« bezeichnete und direkt neben der ›Kobra‹ in einer früheren Skizze entdeckte. Mit der Zeit entwickelte sich daraus ein verfeinerter und verdichteter Entwurf für eine zweistöckige Galerie. In der nächsten Skizze erscheinen zwei rechteckige größere Gebäude ebenso wie die Atriumhalle mit einer Segeln ähnlichen Bedeckung, die stiefelartige Galerie und das schlangenförmige, jetzt in eine einzige spiralige Rampe verwandelte Restaurant. Der Geschoßgrundriß erscheint auf einer Skizze zweimal. Auf dem oberen Grundriß deuten kleine Punkte ein glitzerndes Wasserbecken vor der von Gehry so geschätzten Stiefelform an. Im unteren Bereich ist eine Gruppe quadratischer Galerien durch den Schiffsbug an der Ostseite der Brücke ersetzt.

Guggenheim Museum Bilbao,
Grundrisse vom Juli 1991.
Tusche auf Papier, 23 x 30,5 cm.

'91 BILBAO . F.GEHRY

Guggenheim Museum Bilbao,
Ansicht von Norden (links),
Atrium (oben rechts) und
Oberlichter (unten rechts),
Juli 1991. Tusche auf Papier,
23 x 30,5 cm.

Als er den schematischen Plan ein weiteres Mal umformulierte und zugleich eine Vorstellung davon zu vermitteln suchte, wie das Äußere des Gebäudes aussehen könnte, schwankte die Phantasie des Architekten zwischen sinnlicher Wahrnehmung und funktionalen Erfordernissen. Ein Blatt zeigt auf der rechten Seite einen vergleichsweise allgemein gehaltenen Entwurf für das Atrium und darunter eine Serie von Oberlichtern. In der schematischen Darstellung erhebt sich die segelartige Bedeckung der Atriumhalle, die den Mittelpunkt bildet, noch über die Brücke und bildet eine ausgeprägte plastische Form an der Spitze einer Gebäudegruppe. Ein Gewirr aus vor- und zurückspringenden Linien bricht den Maßstab in mehrere kleinere Elemente auf, die sich neben der spiralförmigen schlangenartigen Gestalt befinden, welche auf einem Sockel steht und möglicherweise ins Wasser ragt. Lange dünne Formen deuten auf den Versuch hin, eine Rampe oder einen Treppenlauf in den Hof hinabzuführen. Dieselben Elemente, darunter zwei große, zikkuratförmige und lagerhausartige Gebäude, die die West- und die Südseite einnehmen, werden erstmals um eine lange, unter der Brücke verlaufende Galerie ergänzt.

Detail der Abbildung von Seite 53.

54

Frederick R. Weisman Museum
in Minneapolis, 1990.

Die beiden Darstellungen an der Seite dieses Blattes wirken ambivalent. Bei beiden handelt es sich um vorläufige Bestandsaufnahmen der Funktionsweise des Atriums, die das formale Vokabular durch symbolische, bereits in anderen Projekten entwickelte Motive einer Prüfung unterziehen. So ist beispielsweise die Reihe von Oberlichtern auf der unteren Hälfte des Blattes ein durch Andeutung erzeugtes Bild, das viele Assoziationen zu wecken vermag. Die Oberlichtreihe, die an die Muschelformen erinnert, die Jörn Utzons Opernhaus von Sydney auszeichnen, das Krens so häufig als jene Art von Wahrzeichen bezeichnet hatte, nach dem das Komitee suchte, weckt aber auch Erinnerungen an die großen wogenden, segelartigen Stahlschirme, die am Frederick R. Weisman Museum in Minneapolis, Minnesota, das südliche Licht einfangen und auf die Nordwand reflektieren – ein Projekt, an dem Gehry zur gleichen Zeit arbeitete. Diese monumentalen, über die reine Skulptur hinaus ins Funktionale getriebenen Fisch-Segel-Formen sollten dem eigentlichen Bau eine symbolische Qualität verleihen. Auch Renzo Pianos eher an Maschinen erinnernde Lichtschaufeln für die Menil Collection in Houston, Texas, kommen einem dabei in den Sinn. Doch vor allem erinnert die gleitende Bewegung der Oberlichter an das Motivfeld des Fisches.

So wie die ursprünglich als Experiment gedachte Schlange, die plötzlich einfach da war und Begeisterung hervorrief, diente auch der Fisch als provisorisches Symbol für das Gebäude. Doch die Bedeutung des Fischmotivs ist vielschichtiger. 1985 erklärte Gehry: »Ich habe ihn immer wieder gezeichnet und skizziert, und er wurde für mich zu einem Symbol für eine bestimmte Art von Vollkommenheit, die ich mit meinen Gebäuden nicht erreichen konnte. Schließlich habe ich dann jedesmal, wenn ich irgendetwas zeichnete und den Entwurf nicht beenden konnte, den Fisch als eine Art Notiz dazu gezeichnet. « [Er bedeutet so viel wie:] ›Ich will nicht, daß das einfach nur irgend ein blödes Gebäude wird. Ich will, daß es wirklich schön wird.‹«[11] Zu diesem Zeitpunkt interessierte sich Gehry nicht mehr so sehr für den Fisch als Objekt. Die verführerische Qualität der irisierenden, einander überlappenden Formica- bzw. Glasscherben führte dazu, daß Gehry noch einmal über die Haut des Fisches nachdachte und diese von dem dominanten Abbild trennte. Danach gelang es ihm, aus dem Bild des Fisches eine abstrakte Form abzuleiten, indem er Kopf und Schwanzflosse abtrennte: Die hieraus resultierende Form benutzte er als Bleiumfriedung für eine Ausstellung kleinerer Objekte in einer Retrospektive seiner Architektur im Walker Art Center 1986. Ungefähr zwei Jahre später konstruierte er eine über sechzehn Meter lange »Fisch«-Form, deren Holzrippen von einer verzinkten Feinblechhaut umhüllt waren und die einen Konferenzraum für den Interimssitz von Chiat/Day in Venice, Kalifornien, beherbergen sollte.

Installation in der Ausstellung *The Architecture of Frank Gehry* im Walker Art Center, Minneapolis, 1986.

Abstrahierte Fischstudien faszinieren Gehry nach wie vor. »Durch die Fischform habe ich gelernt, mich frei zu bewegen«, sagte er im Juli 1990. »Ich lernte, wie man ein Gebäude viel plastischer gestaltet, und die erste Chance, die sich mir bot, war das Vitra Designmuseum (...) Ich begann diese Formen zu benutzen, aber jetzt glaube ich, es kommt darauf an, zurechtzustutzen und zu sehen, mit wie wenig man auskommen kann, und dennoch dieses Gefühl von Unmittelbarkeit und Bewegung zu vermitteln.« Das Fischmotiv, sein in Zeichnung um Zeichnung verfeinertes Erscheinungsbild, wandelt sich also von einem Objekt mit einer symbolischen Identität zu einer Quelle für innovative Materialanwendung, einem Tragwerk mit schimmernder Haut. Gehry setzte sich intuitiv weiter mit diesem Thema auseinander und lernte auf diese Weise, wie man in Gebäuden Doppelkurven erzeugt. Verstümmelt, kopf- und schwanzlos, in blatt- oder schiffartige Formen verwandelt und in einigen der Seitengalerien räumlich umgesetzt, sollte der nun mit einer schwerer faßbaren metaphorischen Qualität ausgestattete Fisch im Guggenheim Museum Bilbao für gleitende, kontinuierliche Bewegung und eine greifbare plastische Abstraktion stehen, die das Gebäude belebt.

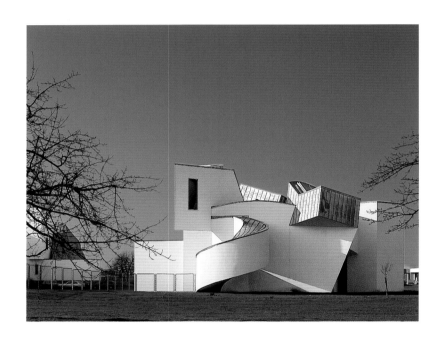

*Oben und gegenüberliegende Seite*: Vitra Designmuseum in
Weil am Rhein/Deutschland, 1989.

Oben: Frederick R. Weisman Museum in Minneapolis, Ansicht von Westen,
Oktober 1990. Tusche auf Papier, 23 x 30,5 cm.

*Gegenüberliegende Seite*: Frederick R. Weisman Museum in Minneapolis, 1990.

*Oben*: Guggenheim Museum Bilbao, Grundriß vom
12. Juli 1991. Farbstift und Bleistift auf Transparentpapier,
50 x 82,6 cm.

*Gegenüberliegende Seite*: Guggenheim Museum Bilbao,
Grundriß vom 12. Juli 1991. Farbstift und Bleistift auf
Transparentpapier, 50 x 82,6 cm.

Pläne seines Gesamtkonzeptes basieren auf der Skizzenserie, die Gehry auf dem Rückflug von Boston nach Los Angeles zeichnete. Eine dieser Skizzen – sie wurde später noch mit spezifischen Angaben versehen, da man vorhatte, sie gemeinsam mit dem Modell einzureichen – setzt sich mit der Planung größerer Ausstellungsräume in Kombination mit mehreren kleineren Galerien auseinander, deren jede groß genug ist, um darin eine Gruppe von Werken oder eine standortspezifische Installation einzelner Künstler unterzubringen. Entlang der Fassade auf der Flußseite und vor der langen Galerie auf der Ostseite der Brücke verlaufen zwei nicht nur als diskrete Barrieren, sondern auch als Verstärkung des plastischen Effekts gedachte Wassergärten, in denen sich das Gebäude spiegelt. Während das unter der Brücke plazierte Amphitheater auch weiterhin nicht in das Modell übernommen wurde, hat das als Rampe konzipierte Restaurant nun seinen Platz mit einem Ausstellungsraum am Ende der langen Galerie getauscht.

Guggenheim Museum Bilbao, Grundriß vom
Juli 1991. Tusche auf Papier, 23 x 30,5 cm.

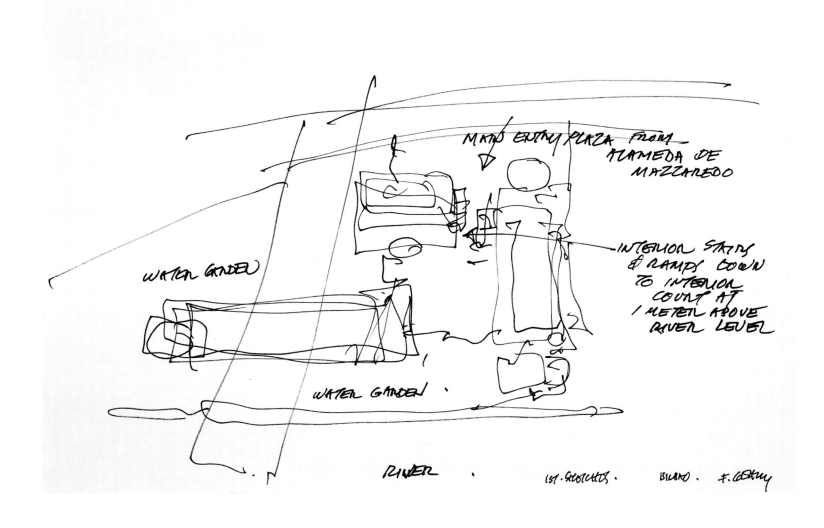

In einer vereinfachten Skizze faßt Gehry noch einmal die Grundzüge seines Plans zusammen: zwei große an Lagerhäuser erinnernde Gebäudeelemente, die eine plaza-artige Atriumhalle umfangen und an eine Art Einfriedung denken lassen, kombiniert mit einer dritten hangarförmigen Galerie, die in die Halle mündet und unter der Brücke hindurch auf deren östliche Seite führt. Jeder der drei großen, in ihrem Maßstab an der Brücke orientierten Komponenten ist mindestens eine kleinere plastische Form hinzugefügt worden, um auf der Flußseite zu einem menschlicheren Maßstab und Gefüge zu gelangen und den Eingang zu akzentuieren. Eine Zikkuratgeometrie mit plastischen Kanten bestimmt das Erscheinungsbild. Gehry bezeichnet ein großes, schlichtes Gebäude, das als Bildgrund für ein kleineres plastischeres Gebäude fungiert, als eine Konstellation mit den Proportionen von »Madonna-mit-Kind«-Darstellungen, und berichtet davon, diesen Effekt auch in Japan beobachtet zu haben, wo Hochhäuser und kleine Tempel häufig direkt nebeneinander stehen.

»Ich habe mich darum bemüht, das Verhältnis von Maßstab und Standort zu begreifen und herauszufinden, wie groß mein Fußabdruck im Verhältnis zum Ganzen ausfallen würde«, sagte Gehry 1996, als er sich diese Skizzen noch einmal ansah. »Ich wollte auch herausfinden, wie diese Galerien aussehen würden. Ich wußte, daß er (Krens) eine große runde (Galerie) wollte, denn er hatte davon gesprochen, und er hatte auch über das MASS MoCA gesprochen. Ich wußte, daß Blocks gewünscht waren. Ich war gerade in einem Steinbruch gewesen und war ganz begeistert von der Idee, irgendetwas Klotziges zu machen, und ebenso davon, einen öffentlichen Raum mit einer Abdeckung zu kreieren, ohne daß dieser Raum deswegen geschlossen wirken würde.« In derselben Skizze wurde die Plaza am Haupteingang auf der Seite der Alameda de Mazarredo vergrößert, so daß zwischen dem Eingang und den Büros mehr Raum zur Verfügung stand. Im Inneren führten Treppen und Rampen in den Hof der Atriumhalle, die aus Sicherheitsgründen einen Meter über dem durchschnittlichen Wasserstandspegel des Flusses lag; später wurde sie nochmals um zwei Meter angehoben, um den örtlichen Hochwasservorschriften zu genügen.

Die Skizzenreihe, die Gehry im Flugzeug machte, ist durch große Vielfalt gekennzeichnet und reicht von strenger Linienführung zum freien Spiel des Stiftes: gleitend, beweglich, unterbrochen durch kleine Sprünge, Vorwärtsrucks und Momente des Innehaltens. Gehry beginnt hier nicht nur, die Komplexität des Standorts zu meistern, sondern er läßt auch das Auftauchen von Erinnerungsbildern zu, indem er die materielle Realität des Ortes ausklammert. Dadurch, daß er dem Stift erlaubt, sich des Raumes zu bemächtigen, verlagert er die intensive Beschäftigung mit den durch die Vorgaben entstehenden Problemen in die Imagination und beschleunigt so ihre Klärung. Elemente verschieben sich, werden neu gruppiert, tragen so zu einem tieferen Verständnis bei und ermöglichen einen gedanklichen Sprung von den notwendigen technischen Aspekten des Gebäudes zu einer ungehemmten, intuitiv-sinnlichen Wahrnehmung, zu einer plastischen Architektur. Es folgt ein komplizierter Prozeß des Auseinandertrennens und Zusammenhaltens, ein Hin und Her zwischen Skizze und Modell, wobei offene Probleme gelöst und die Gestalt des Gebäudes verfeinert wird.

Inmitten des beruflichen Alltags im Büro des Architekten, wo Gehry ständig von Telephonanrufen, Kundenterminen und anderen zeitraubenden Verpflichtungen in Anspruch genommen wird, bietet der individuelle Akt des Zeichnens dem Architekten einen Moment der Zurückgezogenheit und ein Mittel, sich Probleme vor Augen zu führen und sie zu lösen. Die absichtliche Trennung zwischen Zeichenphase und der Arbeit am Modell gemeinsam mit seinen Assistenten ermöglicht es Gehry, ständig zu improvisieren. Das Ganze hat etwas von einer Performance: Kunden, Kritiker, Künstler und Freunde spielen das beteiligte Publikum, das vorüberzieht und seinen Beitrag leistet. Gelegentliche Fehlinterpretationen, wenn Gehrys Entwurfsteam seine Anweisungen und seine mit Anmerkungen versehenen Skizzen in Architekturelemente zu übertragen versucht, führen zu neuen Ansätzen. Ungereimtheiten, soweit sie eine Herausforderung darstellen, werden akzeptiert oder abgelehnt; doch wie dem auch sei, der Zufall hat bei einer solchen Vorgehensweise durchaus eine Chance und verhindert Wiederholungen und eine Fixierung auf Konventionelles.

Die Umsetzung flüchtiger, auf dem Gelände selbst gesammelter Eindrücke, verbunden mit einer auf das Wesentliche reduzierten Planung, die ein Überhandnehmen der Detailfragen verhindert, hält die Phantasie in Fluß und hilft Gehry, die Dinge immer wieder neu zu sehen. Sobald er eine gewisse zeitliche und räumliche Distanz zum Standort gewonnen hat, zieht Gehry sich zurück, damit seine Assoziationen sich entfalten können. Der Architekt führt diese Vorgehensweise auf eine Jugenderinnerung zurück: Als er etwa zehn Jahre alt war, baute seine Großmutter mit ihm Zuhause auf dem Boden Städte aus allen möglichen Gegenständen, die sie im Haus gefunden hatten: »Ich mache das immer noch, mit kleinen Schachteln und Müll und Holzabfällen. Aber entscheidend ist, daß die Kontinuität meines Bildes ›der Stadt‹, soweit es diese Kontinuität gibt, auf der Tatsache beruht, daß ich die Stadt immer in plastischen Kategorien begriffen habe und mich dafür interessiert habe, auf welche Weise die Formen einer Stadt gewisse Lebensmuster hervorbringen (...) Die Stadt ist selbst eine Plastik, die man gestalten kann und in der sich (bestimmte) Beziehungen herstellen lassen.«[14]

Wenn Gehry diese elementaren, erstmals in der Kindheit gemachten Erfahrungen – das Spiel mit Bauklötzen ebenso wie seine obsessive Beschäftigung mit dem Fischmotiv – für seine Arbeit reaktivieren wollte, mußte er für sie strukturelle Entsprechungen finden, die den neuen Anforderungen entsprachen. Neben der Entwicklung eines formalen Vokabulars, das den technischen Erfordernissen des jeweiligen Programms entspricht, geht es um eine emotionale Qualität, die umzusetzen kein Kinderspiel mehr ist. Der Zustand ähnelt jenem, den Baudelaire in seinem Essay »Der Maler des modernen

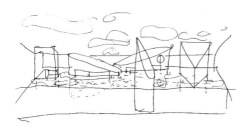

Lebens« beschrieben hat: »Nun ist aber das Genie nichts anderes als die *wiedergefundene Kindheit*, die jetzt, wenn sie sich ausdrücken will, mit männlichen Organen und einem analytischen Geist ausgestattet ist, der sie befähigt, all das viele unwillkürlich angehäufte Material zu ordnen.«[15]

Gehrys Idee von der Stadt erfuhr 1976 mit seinem Entwurf für das Jung Institute eine tiefgreifende Wende, obwohl dieser Entwurf auf eine einzelne Zeichnung beschränkt blieb. Das in einem Gebiet mit Industriebauten gelegene Grundstück war von einer Mauer umgeben, die es von den Verunstaltungen der Umgebung abgrenzen sollte. Auf diesem Grundstück plazierte Gehry verschiedene Objekte/Strukturen, die durch Wasser in einem flachen Becken und den Himmel, auf den sich der durch die Mauer begrenzte Blick konzentrierte, miteinander verbunden werden sollten: »Die individuellen Elemente wurden zu Arbeiten, die man entdeckte, indem man um sie herumlief und auf diese Weise erkannte, wie sie plastisch aufeinander bezogen sind. Diese sehr einfache Manipulation einer sehr klaren und beschränkten Menge von Formen, einer Box, eines Keils, eines Ovals, erzeugte ein äußerst interessantes und komplexes Zwiegespräch und zahlreiche Wechselbeziehungen.«[16]

Obwohl das Jung Institut durch seine periphere Lage gewissermaßen »anti-urban« ist, spürte Gehry, daß der Entwurf, eine Komposition disparater ineinandergreifender Einzelteile, zu einer bestimmten Form von Urbanismus führen könnte, und daß durch die Reduzierung der Größe der Elemente, die ein Gebäude bilden, andere, eher am menschlichen Maßstab orientierte Verbindungen entstanden. »Ich hatte nie die Absicht, architektonische Metaphern für städtische Erfahrungen zu erfinden«, sagte er dazu, »und ich hatte kaum Gelegenheit, städtische Komplexe zu bauen, aber ich habe mich immer mit Formen auseinandergesetzt und mit der Frage, in welchem Verhältnis sie zueinander stehen.«[17]

Bei seiner Auseinandersetzung mit dem Urbanismus ist es Gehry nie um barocken Pomp im Stile Versailles' gegangen; die Möglichkeiten, die sich ihm auf dem Gebiet der Stadtplanung boten, betrafen eher die kleine Geste – freilich eine mit gewaltiger Wirkung. Der Architekt Robert A. M. Stern schrieb: »In allen seinen Werken vollführt Gehry die große Geste – und schlägt sie dann entzwei. Er besitzt die große Begabung, uns herauszufordern, ohne uns zu bedrohen, und Ordnung und Unordnung zu stiften, ohne dabei tyrannisch zu sein.«[18] Beispiele hierfür sind die Loyola Law School, 1981–84, ein Block in einem öden Viertel im Zentrum von Los Angeles, die Hollywood Library, 1983–86, ein Grundstück inmitten eines städtischen Chaos', und das Yale Psychiatric Institute, 1985–86, ein Klotz in einem Armenviertel in New Haven, Connecticut. »Das waren jeweils nur kleine Stücke. Und ich glaube, ich bin damit groß geworden, daß ich das akzeptiert habe.« Gehrys äußerst subtile, ja entspannte Haltung bei der Integration seiner Architektur in das jeweilige Viertel ist typisch für seine Arbeit.

Bei der Loyola Law School etwa sollte er den Wünschen der Auftraggeber zufolge »in einem komischen Ödland« einen Ort so gestalten, »daß die Nachbarn nicht völlig in den Schatten gestellt werden«, wie Gehry es formulierte. Dieser Vorgabe entsprechend, wirkt der Loyola Campus von der Straße aus eher unscheinbar. Nach einem schlichten Lageplan ist ein vergleichsweise langes dreistöckiges Gebäude mit den Büros der Fakultäten und studentischen Einrichtungen in einer L-förmigen Anlage mit zwei kleineren, jeweils aus einem Raum bestehenden Gebäuden, der Kapelle und dem Hörsaal, verbunden. Diese drei Gebäude sind mit ihrer Rückseite zur Straße ausgerichtet, um nicht die angrenzenden Gebäude des Viertels zu dominieren. Das Zusammenspiel dieses Neubaus mit dem bereits existierenden Bau der juristischen Fakultät bereicherte das Gesamtbild allerdings und ließ den Straßenzug wohnlicher erscheinen. Aus Sicherheitsgründen mußte nun aber ein Zaun um das Gelände gezogen werden. So wurde das Ganze zu einem »Drahtseilakt zwischen visueller Offenheit und der Beziehung zur Straße. Doch entstand keine massive Wand; die Leute können reinschauen und sogar reinlaufen, aber eigentlich sollen sie das nicht tun.«[19]

Auf dem Campus selbst tritt Fülle an die Stelle von Schlichtheit: eine reiche Textur aus gelbem Stuck und finnischem Furnierholz, Beton und verzinktem Metall führt in Verbindung mit vereinzelten Freiflächen und der barocken Treppe an der Außenseite des langen Gebäudes zu einer dichten Überlagerung. Auch hier wurde das Viertel in die Planungen miteinbezogen, denn die Hauptwand des langen Gebäudes wurde in einer leuchtenden Farbe gestrichen, die von außen kaum sichtbar ist, aber auf der

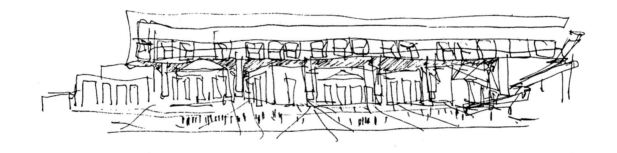

Loyola Law School, Entwurfsskizze, 1981.
Tusche auf Papier, 23 x 30,5 cm.

Hofseite als Bühne fungiert, gegen die sich charakteristische Einzelgebäude silhouettenhaft abheben, die mit ihrem kleineren, menschlicheren Maßstab ein Campus-Gefühl erzeugen sollen. »Ich meine, die Stadt ist eine Tatsache, an der man nichts ändern kann«, sagte Gehry 1991. »Mich hat interessiert, wie Gebäude sich integrieren lassen, statt einander auszuschließen, und außerdem, wie man unterschiedliche Objekte nebeneinander plazieren kann; viele Architekten arbeiten mit einer ›Mauer im Kopf‹.«

Beim Vergleich seines eigenen urbanistischen Ansatzes mit dem Le Corbusiers hat Gehry die paradoxe Aussage getroffen: »Ich bin mir über die psychologische Seite im klaren. Le Corbusiers Ansatz war: ›Ich mag euch nicht, ich werde euch niederreißen und plattmachen und etwas Neues bauen.‹ Das sage ich nicht. Auch ich mag euch vielleicht nicht, aber ich sage nicht, daß ich euch nicht mag. Ich komme einfach, mache meinen kleinen ›Schlammkuchen‹ und übernehme das Kommando.« Obgleich diese Aussage nicht ganz frei von napoleonischen Allüren ist, erweist die Praxis, daß es dem Architekten tatsächlich um bestimmte Formen der Integration in das städtische Umfeld geht. Wie die »Kommandoübernahme« funktioniert, wird in einer anderen Aussage deutlich: »Wenn man die Formen versteht, die man benutzt, das heißt, wenn man die Form, den Raum und den negativen Raum im Bezug auf andere Gebäude oder zur Stadt hin gezielt einsetzt, um kompositorische Bezüge herzustellen, dann kann man anfangen, das Kommando zu übernehmen. Wenn dort, wo heute Notre Dame steht, ein Loch wäre, und man müßte eine Kirche bauen und wäre wirklich clever, dann würde man die Kirche genau so bauen wie Notre Dame. Die Umgebung wird durch die Plastik dieses Gebäudes ungeheuer belebt; es zieht ein ganzes Viertel von Paris in seinen Bann.«[20]

Frank Gehry meidet die Beschränkungen einer durchrationalisierten dekonstruktiven Strategie; seine Einschnitte in das Stadtgewebe erfolgen auf organische und intuitive Weise. Er entdeckt Objekte, Gebäude und Strukturen, die, zu unterschiedlichen Zeiten, in verschiedenen Stilen und Materialien errichtet, einen Ort bestimmen. In einem durch intuitive Auseinandersetzung mit dem Vorhandenen vorangetriebenen Prozeß – der nicht unbedingt in sequentieller, systematischer Weise, sondern ruckweise verläuft, durch Abschweifungen bestimmt ist – gelingt es Gehry, ein Gefühl allgemeiner Orientiertheit zu schaffen. Indem er die monumentalen Größenverhältnisse der Umgebung zerschlägt, schafft er mit den fragmentierten Elementen seiner Bauten neue plastische Objekte, elementare Strukturen mit visuellen, gewissermaßen malerischen Beziehungen. Es dauert eine Weile, bis man sie versteht; sie sind nie offensichtlich, sondern entfalten sich von selbst, manchmal nahtlos verwoben, wie im Falle seines Hauses in Santa Monica, das er mit Fragmenten von Altem und Neuem überschichtete; die neue, 1978 gebaute Struktur wurde praktisch um das existierende Haus ›herumgewickelt‹.

Am 13. Juli 1991, gegen Mittag, als der Architekt wieder in sein Büro zurückgekehrt war, wurden die drei wellenförmigen weißen Papierstreifen, die im Modell die von Bauklötzen repräsentierte Atriumhalle bedeckten, ohne viel Aufhebens entfernt. Die plastische Dachform mit den als Lichtschaufeln dienenden Segeln wurde zum Motiv einer sich entfaltenden Blume umgearbeitet. Die Veränderungen begannen damit, daß Gehry aus Papierfetzen und Blöcken dreidimensionale Skizzen fertigte. Er selbst beschreibt diesen Prozeß folgendermaßen: »Ich mache alle diese Dinge zur selben Zeit und gehe dabei völlig im Zeichnen auf. Ich bin einfach ungeheuer gierig. Ich rase hin und her, und dann machen wir diese Modelle, aber nichts geht schnell genug, und in der Zwischenzeit denke ich an die Oberlichter für das Atrium.«

Guggenheim Museum Bilbao,
Ansicht von Westen mit
Darstellung der Oberlichter,
13. Juli 1991. Tusche auf
Papier, 23 x 30,5 cm.

Guggenheim Museum Bilbao, Entwürfe für die Oberlichter, 13. Juli
1991. Farbstift und Bleistift auf
Transparentpapier, 23 x 30,5 cm.

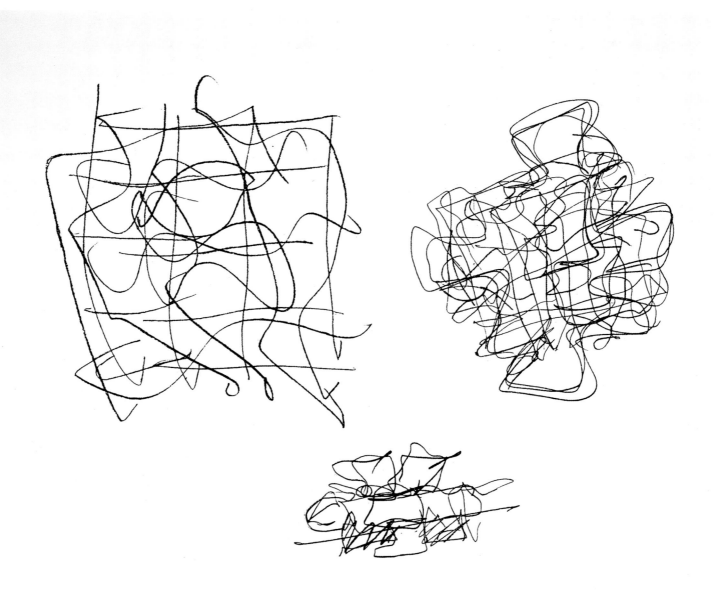

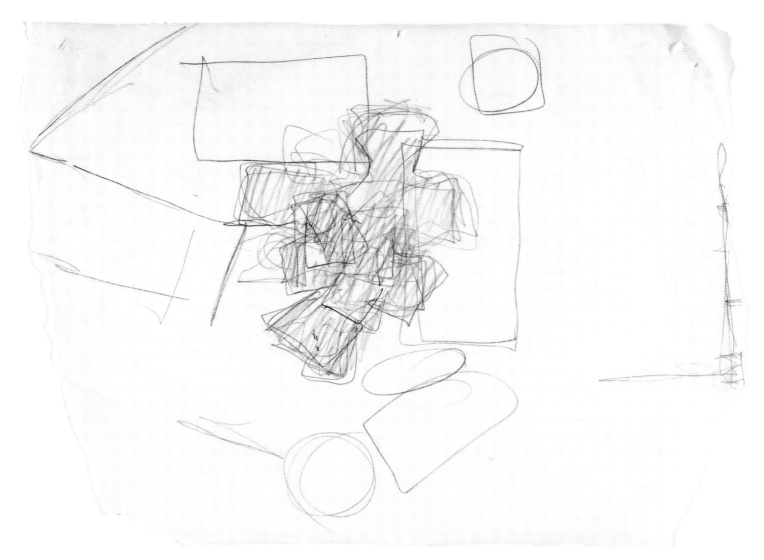

Guggenheim Museum Bilbao,
Grundriß mit Oberlichtern, 13. Juli
1991. Farbstift und Bleistift auf
Transparentpapier, 35 x 44,5 cm.

Der Verwandlungsprozeß der Oberlichter ist in drei Zeichnungen festgehalten: »Ich habe eine Karte
und weiß, wohin ich mich bewege. Es hat auch etwas Befreiendes, und ich entscheide, was wo hin-
paßt, ich bestimme den Maßstab und etabliere ein formales Vokabular, das ich dann jemandem
erklären kann.« Auf der Suche nach einer Möglichkeit, die herkömmliche quadratische Form der
Fenster für das Oberlicht zu vermeiden, zeichnete Gehry kurvenförmige Fensterstreben. Eine andere
in Aufsicht gezeichnete Skizze umschreibt die Form der Oberlichter als sich entfaltende Blumen.
Ganz oben befinden sich zwei terracottafarbene Lichtschaufeln; die darunter gelegene Ebene besteht
aus einer Gruppe grüner Schaufeln, die unter anderem den Eingang bedecken, das lagerhausartige
Gebäude der Westfassade, das Kopfstück der riesigen, unter der Brücke verlaufenden Galerie sowie
den Bereich über dem Vordach.

Die erste Fassung der floralen Oberlichter wurde, wie sich Edwin Chan erinnert, »im Verlauf eines Mittagessens« am 13. Juli entwickelt. Im Mai 1991 hatte Gehry an einem Wettbewerbsvorschlag für den Turm des neuen Hauptquartiers des Los Angeles Rapid Transit District (RTD) gearbeitet, der im wesentlichen aus einem traditionellen Hochhaus bestand, das oben radikal zu einer dynamischen plastischen Komposition ondulierender Formen verzerrt wurde. Das Äußere sollte aus Edelstahl bestehen. Gehry, wegen des bevorstehenden Wettbewerbs in Bilbao bereits unter beträchtlichem Zeitdruck, hatte dieses Modell nicht weiter verfeinert. Da er annahm, daß das RTD-Projekt zu visionär sei, um je realisiert zu werden, nahm er die Spitze des Wolkenkratzers zum Ansatz für die Entwicklung einer Form für das Bilbao-Projekt: »Ich übernahm diese Form, weil ich meinte, später noch etwas Neues zu erfinden. Ich hätte nie gedacht, daß wir damit weitermachen würden.«

Modell des Hochhauses Rapid Transit District in Los Angeles, 1991.

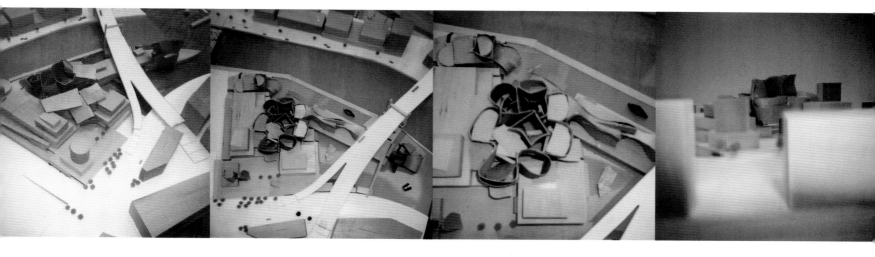

Es war geplant, die Oberlichter aus Metall zu fertigen, einem leicht zu modulierenden Material; wie im RTD-Entwurf sollte die Oberflächenbeschichtung des Gebäudes bis zur Spitze durchgezogen werden. Die Proportionen und die Höhe der Blume wurden von Gehry an die der Brücke und der umliegenden Gebäude angepaßt. Die Weiterentwicklung des Konzepts wurde jeden Tag durch Polaroidaufnahmen dokumentiert. Die Tatsache, daß die Abfolge der einzelnen Schritte aufgezeichnet wurde, erlaubte dem Architekten, intuitiv vorgehen zu können, ohne deswegen auf die Möglichkeit verzichten zu müssen, Schritte wieder rückgängig zu machen. Die Polaroidserie vom 13. bis zum 15. Juli dokumentiert den Gestaltungsprozeß der Blume und anderer Bauelemente, wie etwa des geplanten Restaurants, vom Kalksteinbau zur mehr fließenden Metallstruktur.

Nachdem der Entwurf für die floralen Oberlichter über der Atriumhalle mehr oder weniger feststand, beschäftigte Gehry sich während der nächsten beiden Tage mit der Verfeinerung der Einzelformen, indem er das mit Silberlack besprühte, Metall repräsentierende Strathmorepapier fixierte, das lose um die Buchenholzstückchen herumgelegt worden war, die Lichtschaufeln darstellen sollten, aber ein leicht amorphes Aussehen angenommen hatten. »Ich gerate in eine verzwickte Lage«, hat Gehry in diesem Zusammenhang gesagt, »und dann kriege ich es (...) mit der Angst zu tun und beginne mir zu sagen, ›Moment mal, das kann man aber auch einfacher machen.‹« Da dem Architekten aber zur gleichen Zeit auch klar wurde, welch starken Eigencharakter das plastische Element der Oberlichter hatte, begann er die Blume zu anderen Teilen des Gebäudes und der umgebenden Stadtlandschaft in Beziehung zu setzen. Am 13. Juli machte Gehry selbst eine Polaroidaufnahme, die so wirkt, als sei sie aus der Perspektive der Alhóndiga aufgenommen, mehrere Blocks südlich des Museums; auf dem Photo ist die Blume zwar deutlich zu sehen, doch zugleich fügt sie sich maßstäblich in die Umgebung ein und so entsteht der Eindruck eines schlüssigen Zusammenhangs.

Polaroidaufnahmen von der Entwicklung der Oberlichter für die Große Halle, am Vormittag des 13. Juli (links außen) und am 15. Juli (Mitte links und rechts) sowie Blick zum Guggenheim Museum Bilbao von der Calle de Iparraguirre am Nachmittag des 13. Juli.

Eine der in silberfarbenes Papier gehüllten Blumen wurde am nächsten Tag als eine stiefelartige, hervorkragende Form in den Wassergarten der Atriumhalle versetzt. Ein anderes Element wurde eingesetzt, das das Oberlicht über der gewaltigen Galerie umfangen und die Blume mit dem in der Planungsphase befindlichen Turm in Beziehung setzen und dabei auch die Brücke miteinbeziehen sollte. Eine am Morgen des 13. Juli entstandene Polaroidaufnahme läßt erkennen, daß ein aus dem früheren Entwurf für die Oberlichter stammendes, auf die Seite gelegtes und nun in eine Schiffsform uminterpretiertes Segel als Ausgangsbasis für den Turm auf ein Postament gesetzt worden war, eine Idee, die der Architekt aber bereits am nächsten Tag wieder verwarf, als er sich ernsthaft mit der Gestaltung des Turms auseinanderzusetzen begann.

Eine Skizze zeigt, daß die gewaltige Galerie auf der Ostseite der Brücke zeitweise als Sockel für die Turmstruktur eingesetzt worden war. Schließlich ähnelte dieser aus Metall bestehende Turm mit seiner nach vorne drängenden plastischen Basis stark dem RTD-Turm. Nachdem sich die Blume und der Turm an ihrem Platz befanden, folgte als nächstes die Westfassade. Am 15. Juli waren die Elemente weit genug entwickelt, um in spanischem Kalkstein und in silbern bemalten, Metall repräsentierenden Komponenten nachgebaut zu werden. Es entstand eine ungefähre Vorstellung, welche Richtung Gehry mit dem Museumsbau einschlagen würde. Nun mußten nur noch einige Skizzen einen Eindruck vom Inneren der Atriumhalle vermitteln.

Während es bei den Entwürfen für das Jung Institute und die Loyola Law School vor allem darum gegangen war, die Stadtanlage zu berücksichtigen, wurde bei dem Bilbao-Projekt nicht nur ein lebhafter Dialog zwischen der städtischen Umgebung und dem Standort angestrebt, sondern Gehry schuf hier ein plastisches Gebäude, ein Museum mit stark symbolischem Charakter, einen Anziehungspunkt, der sowohl die Stadt mit ihren verschiedenen Gebäudekomponenten berücksichtigen, als auch das umliegende Gebiet beleben würde. Zu dem Zeitpunkt, als der Architekt mit dem Beispiel Notre-Dame deutlich machte, worum es ihm bei der »Kontrollübernahme« ging, setzte er gerade zu einem neuen intensiven Verfeinerungs- und Umdefinitionsprozeß seines Entwurfs für das Bilbao Guggenheim an: »Ich merkte, daß dieses ganze Zeug extrem willkürlich und unkonventionell war«, sagte Gehry. »Warum machte ich das überhaupt? Mir ging es um die Zehn-Tage-Skizze, es war großartig, es war aufregend, und dann wurde ich wieder Architekt.«

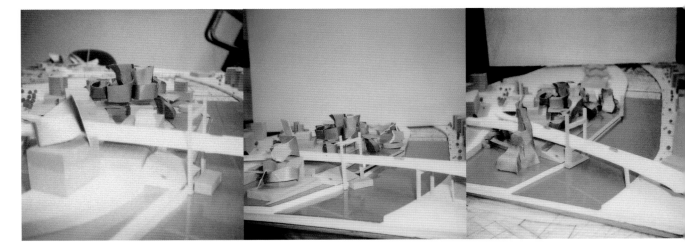

*Unten und gegenüberliegende Seite*: Guggenheim Museum Bilbao, Ansicht von Norden, 15. Juli 1991. Tusche auf Papier, 23 x 30,5 cm.

*Rechts*: Polaroidaufnahme der Nordansicht am Vormittag des 15. Juli.

*Unten links*: Polaroidaufnahme Ansicht von Westen am Nachmittag des 13. Juli 1991.

*Unten rechts*: Ansicht von Westen am Nachmittag des 13. Juli 1991. Tusche auf Papier, 23 x 30,5 cm.

*Gegenüberliegende Seite*: Ansicht von Westen am 15. Juli 1991. Tusche auf Papier, 23 x 30,5 cm.

*Oben*: Guggenheim Museum Bilbao, Ansicht des Turmes am Nachmittag des 14. Juli 1991. Tusche auf Papier, 23 x 30,5 cm.

*Unten links*: Polaroidaufnahme vom Stand des Turmes am Nachmittag des 14. Juli 1991.

*Unten rechts*: Polaroidaufnahme vom Stand des Turmes am Vormittag des 15. Juli 1991.

*Gegenüberliegende Seite*: Guggenheim Museum Bilbao, Ansichten des Turmes am Vormittag des 14. Juli 1991. Tusche auf Papier, 23 x 30,5 cm.

*Gegenüberliegende Seite*: Guggenheim Museum Bilbao, Innenansicht der Großen Halle am 16. Juli 1991. Tusche auf Transparentpapier, 52,1 x 43,2 cm.

*Unten*: Guggenheim Museum Bilbao, Ansicht von Norden mit der Großen Halle am 16. Juli 1991. Tusche auf Papier, 23 x 30,5 cm.

Polaroidaufnahmen vom fertiggestellten schematischen Modell, 15. Juli 1991.

Teile des Modells an der Wand von Gehrys Atelier in Santa Monica, 1994.

## Auf der Suche nach einer Vereinigung der Gegensätze: Bloß ein Gebäude oder plastische Architektur?

*»Ich habe das Glück gehabt, von lebenden Malern und Bildhauern unterstützt worden zu sein. Ich habe nie das Gefühl gehabt, daß Künstler etwas ganz anderes machen. Ich war immer der Meinung, daß es einen Augenblick der Wahrheit gibt, in dem man entscheidet: Welche Farbe, welcher Maßstab, welche Zusammensetzung? Der Unterschied besteht darin, wie man zu diesem Augenblick der Wahrheit gelangt, und auch das Endergebnis ist anders.*

*Die Lösung all der praktischen Probleme ist eine intellektuelle Übung. Das ist ein anderer Teil meines Gehirns. Er ist nicht weniger wichtig, sondern einfach anders. Und für mich ist es ein Wert an sich, diese Probleme zu lösen, sich mit dem Umfeld und dem Kunden auseinanderzusetzen und meinen Augenblick der Wahrheit zu finden, nachdem ich das Problem begriffen habe.«*[21]

Frank Gehry

Am 3. August 1991, gut zwei Wochen nachdem Frank O. Gehry and Associates den Wettbewerb um das Guggenheim Museum Bilbao gewonnen hatten, sandte Krens dem Architekten einen »in Eile verfaßten« Brief, in dem er aus der Sicht der Gutachterkommission die positiven und die negativen Seiten des Plans zusammenfaßte. Die Verwendung von für den industriellen Standort charakteristischen Materialien wie Stahl und Mörtel wurde positiv vermerkt, ebenso die Einbeziehung von Wasser auf der Plattform. Das Komitee hob hervor, daß das Museum »auf zahlreichen inneren und äußeren Ebenen wie etwa den Plätzen, Ausblicken, Springbrunnen usw.« in ein Zwiegespräch mit den Besuchern eintrete. In dem Brief heißt es außerdem, daß das Komitee, die Möglichkeiten der relativ einfachen, großen Ausstellungsflächen und die Idee »des Rundbaus in seiner Vielseitigkeit und als Echo auf das Guggenheim in New York und in Salzburg« überzeugt habe. Am meisten habe den Mitgliedern die Einbeziehung der Brücke und die Verbindung zum Flußufer und zur Hafengegend gefallen.

Nicht unumstritten war hingegen der hohe »Reader« in der Form eines Turms. Die Diskussion drehte sich darum, ob der Turm eine Funktion haben solle, ob er zu groß und damit auch zu teuer sei und ob eine derart dominante Präsenz überhaupt wünschenswert sei. Aus dem Modell ginge im übrigen nicht eindeutig hervor, wo sich der Eingang zum Museum befinden solle. Außerdem schrieb Krens, daß man »das sandbestrahlte Stahlelement als plastische Kappe über rationalen und regelmäßigen Ausstellungsräumen aufgefaßt« habe. Obgleich einige Mitglieder des Komitees es als »eine brillante Lösung betrachteten, die Raumarchitektur des Gebäudes insgesamt zu Torsionen zu zwingen«, würde dies »freilich zugleich eine negative Wirkung auf die Kunst innerhalb des Raumes ausüben« – wobei das Guggenheim Museum von Frank Lloyd Wright häufig als Vergleich herangezogen worden sei. Alle hätten aber darin übereingestimmt, daß die »plastische Kappe«, die offensichtlich die charakteristischste Komponente des Gebäudes sei, verfeinert werden müsse. Das Komitee äußerte darüber hinaus die Ansicht, daß die Einbeziehung von »In-situ-Plastiken zwar lobenswert sei, aber im deutlichen Widerspruch zur Plastik des Gebäudes selbst stünde«; diese schlösse die Möglichkeit aus, daß Künstler an der Gestaltung des Äußeren beteiligt würden. Im übrigen müßte, was angesichts der kurzen Dauer des Wettbewerbs nicht weiter überrasche, den »Beziehungen zwischen den verschiedenen Galerieräumen – den Sonderausstellungen, der allgemeinen Sammlung und den zehn individuellen Künstlern gewidmeten Räumen« noch größere Aufmerksamkeit geschenkt werden.

Als Kunde war Krens bereit, an allen Entwicklungsstufen des Projekts teilzunehmen. Er gab eine 1992 veröffentlichte Durchführbarkeitsstudie in Auftrag, die das künstlerische Programm und die erforderlichen Managementleistungen ebenso umfaßte wie eine Analyse der demographischen und wirtschaftlichen Auswirkungen und eine Vorkalkulation für die Bau- sowie die technischen Kosten. Diese Studie wurde von den drei spanischen Unternehmen GESTEC, IBS S.A. und KPMG Peat Marwick durchgeführt. Krens entwickelte eine Vorstellung davon, wie sich das Guggenheim Museum Bilbao in das Konglomerat anderer Guggenheim Museen einfügen sollte. In einem Interview im Februar 1997 sagte er hierzu: »Ich stelle mir die Guggenheim Museum als ein Museum mit einer Konstellation von Räumen vor (...) Einige Sterne am Firmament leuchten vielleicht ein bißchen heller, aber das liegt in der Natur der Sache (...) Sieht man sich die Konstellation dieser Räume an, so ist das Gebäude von Frank Lloyd Wright ein Solitär, die Peggy Guggenheim Sammlung (in Venedig) ist ein umgestaltetes Privathaus und das MASS MoCA ist ein umfunktioniertes Fabrikgebäude (...) Um auf Frank Gehrys Bau zurückzukommen: Er ist die Apo-

BILBAO . AUG 91

1 ST . SKETCHES .        F. GEHRY

Guggenheim Museum Bilbao, Ansicht von Norden, August 1991. Tusche auf
Papier, 23 x 30,5 cm.

theose eines Solitärs. Das glatte Gegenteil hierzu ist, von einem architektonischen Standpunkt aus betrachtet, Hans Holleins Gebäude für Salzburg, das unsichtbar ist. Das heißt, es hat keine äußere Präsenz, es ist reiner Innenraum, und ich glaube, deshalb ist es so spektakulär. Das letzte, was wir gemacht
haben, war ein Projekt, das wir für Tokio auf dem Dach eines Wolkenkratzers entworfen haben.«

Die Idee ist, daß jeder dieser »Museumsräume« aufgrund seiner jeweiligen spezifischen Identität, Gestalt und Geschichte für die Präsentation »einer bestimmten Form von Kunst«, die den Geist und einzigartigen Charakter des Orts zum Ausdruck bringt, besonders geeignet sein soll. So wurden jeweils bestimmte standortspezifische Arbeiten in Auftrag gegeben, etwa Richard Serras *Snake* für das Guggenheim Museum Bilbao. Ein weiteres Beispiel für einen solchen Raum ist das Museum, das die Solomon R.
Guggenheim Stiftung im November 1997 in Zusammenarbeit mit der Deutschen Bank AG im unlängst
restaurierten Erdgeschoß des ehemaligen Hauptsitzes der Bank aus den zwanziger Jahren eröffnen wird.
Das an der Straße Unter den Linden gelegene Deutsche Guggenheim Berlin wird eine Grundfläche von
etwa 2.200 Quadratmetern haben; laut Krens besteht sein Hauptzweck darin, neue Werke »ungewöhn-
lichen Ausmaßes« in Auftrag geben zu können, die dann Teil der Sammlung werden sollen. Er sieht das
Museum »als Kultur- und Kunstgenerator in einer aktiven Rolle, indem es die erforderlichen Bedingun-
gen schafft«: das Museum »als Petrischale und der Künstler als Fruchtfliege«. Dies klingt wie die aktua-
lisierte Version eines Vergleichs von Edgar Allen Poe, der das Streben des Künstlers nach dem Erhabenen
»der Sehnsucht der Motte nach dem Stern« gegenüberstellte.

Zum Teil als Reaktion auf die Kommentare der Gutachterkommission setzte Gehry die Arbeit an seinen
Skizzen fort. Eine Skizze vom August 1991 zeigt die Fassade auf der Flußseite mit der Blumenstruktur
und einem hervorragenden Vordach über der großen, zum Nervión ausgerichteten Glaswand des Atriums sowie die stiefelförmige Galerie. Vor die lange Galerie und unmittelbar unter die Brücke ist an die
Stelle des Amphitheaters eine Anhäufung von Steinen gesetzt worden; Gehrys Team bezeichnete dieses
Werk, das zum Ausgangspunkt mehrerer, erst noch zu entwerfender Gebäudekomponenten werden
sollte, als die »Sackgasse«. Krens hatte ihm gegenüber die Ansicht geäußert: »Es funktioniert einfach
nicht unter Brücken und an Gräben. Vergiß es. Man kann dran vorbeilaufen, aber in architektonischer

Hinsicht kann man einfach nichts machen, um sie attraktiver zu gestalten.« Aber Gehry hoffte, den ›negativen‹ Bereich unter der Brücke zurückerobern zu können, der für die Herstellung einer Verbindung zum Reader von wesentlicher Bedeutung war. Auf Bitte Ibon Aresos, des Stadtplaners von Bilbao, integrierte Gehry auch den Entwurf für die Ausweitung des Uferwegs unter der Brücke in den Plan.

In einem Brief vom 30. August bat Krens Gehry, ein detaillierteres Modell im Maßstab 1:200 herzustellen, das einen größeren Teil des städtischen Umfelds miteinbeziehen sollte, um die Proportionen des Gebäudes in bezug zur Umgebung deutlich werden zu lassen. Einbezogen werden sollte auch die Brücke, ihre Höhe und die Stelle, »wo sie am anderen Flußufer verankert ist, und genug von der anderen Seite des Flusses, damit deutlich wird, wie sich der Hügel dahinter erhebt«. Dieses Modell war für eine Präsentation vor den Vertretern der baskischen Planungskommission und dem Aufsichtsrat der Guggenheim Foundation Mitte September in New York bestimmt. Von Anfang an hatte Krens einen intensiven, vor allem während zahlreicher Besuche im Büro des Architekten in Los Angeles geführten Dialog mit Gehry unterhalten. In der Entwurfsphase traf er Gehry und sein Projektteam zweimal im Monat: »Ich nahm morgens um 8.00 Uhr eine Maschine in New York und kam um 11.00 Uhr in Los Angeles an. Dann haben wir den ganzen Tag gearbeitet, und am nächsten Morgen war ich entweder um 4.00 Uhr oder um 11.00 Uhr wieder in New York.«

Die Vertreter der baskischen Seite griffen selten in den Entwurfsprozeß oder Gebäudespezifikationen ein; sie drängten lediglich auf die Beantwortung von Detailfragen wie etwa die nach der Hochwassermarke. Krens beschrieb ihre Position folgendermaßen: »Sie waren Zeugen. Sie waren als Manager des bevorstehenden Bauprojekts dabei, sie waren bei der Kostenkalkulation und als Bauunternehmer dabei, aber am Entwurfsprozeß waren sie kaum beteiligt. Wir hatten daher nahezu freie Hand (...) und unsere einzigen Beschränkungen waren die 24.000m² Fläche und das Budget (100 Millionen US-Dollar). Nachdem die baskische Regierung dem Budget zugestimmt hatte, sorgte Juan Ignacio Vidarte, der Vorsitzende des Konsortiums der baskischen Gruppe, die die Planung und Ausführung des Projektes leitete, dafür, daß alle Beteiligten bei der Stange blieben. Diese entschlossene Haltung hatte einen entscheidenden Einfluß auf den Gesamtentwurf, der, während das Projekt bereits lief, aus Kostengründen mehrfach neu definiert werden mußte. So hielt Vidarte konsequent an den «anfangs vereinbarten Spielregeln« fest, zu denen eine klare Arbeitsteilung zählte: »Stehen Sie nicht dem Entwurf im Wege, der zu Gehrys Bereich zählt, und drängen Sie ihn nicht zu irgendetwas.« Zugleich stand er dem kreativen Verhältnis von Krens und Gehry positiv gegenüber, denn er spürte, daß das Endergebnis letztlich von Krens Museumserfahrung würde profitieren können.

Im August und Oktober 1991 machte Gehry noch weitere Skizzen, in denen er sich um die Klärung der Funktion des Atriums und seiner plastischen Präsenz bemühte. Zu diesem Zeitpunkt wird das Innere noch wie in der Wettbewerbsphase von den beiden Zikkurats auf der Süd- und auf der Westseite dominiert, von denen Rampen ins Zentrum des Gebäudes hinabführen. Gehry scheint sich hier mit der Verbindung der Räume zu einem Museumsrundgang befaßt zu haben, wie aus zusätzlichen Bild-Notizen hervorgeht, in denen er sich auf zwei andere Projekte bezieht: In der linken oberen Ecke des Blattes findet sich ein präziser Grundriß, ähnlich der Walt Disney Concert Hall, der aus einer von Wandelgängen und anderen Räumen umgebenen Box besteht, in der rechten unteren eine Box mit einem plastischen Supplement, die als Skizze des Vitra-Museums in Weil am Rhein zu identifizieren ist.

Guggenheim Museum Bilbao, Ansicht von Norden mit Atrium (Mitte);
und verschiedene Skizzen, August 1991. Tusche auf Papier, 23 x 30,5 cm.

F. Gehry      Oct./91   alias.

Guggenheim Museum Bilbao, Ansichten von Norden, Oktober 1991. Tusche auf Papier, 23 x 30,5 cm,

Auf dem zweiten Blatt erscheint das durchgeistigte, im Fluß befindliche und in seinen Konturen festgehaltene Motiv des Atriums in einer wunderbaren Komposition dreier querformatiger Bilder: Das obere und das untere zeigen die wesentlichen Komponenten der gesamten Flußfassade, in der Mitte ist diese Ansicht nun von der langen Galerie aus wiederholt. Durch die Klärung des Maßstabs gelangte Gehry hier zu einem besseren Verständnis des Atriums, was an der engeren, zimmerartigeren Umbauung zu erkennen ist. »Manchmal beginne ich zu zeichnen«, sagte er unlängst einmal, »und weiß nicht genau, wo die Reise eigentlich hinführt. Ich mache die mir vertrauten Striche, die sich zu dem Gebäude entwickeln, das ich gerne zeichnen möchte (...) Manchmal wirkt dieses Vorgehen orientierungslos und verläuft ohne eindeutiges Ziel. Es ist, als würde man sich im Dunkeln vorantasten, weil man davon ausgeht, daß schon irgendetwas dabei herauskommen wird. Ich werde zum Voyeur meiner eigenen Gedanken, während sie sich entwickeln, und ich wandere sozusagen um sie herum. Manchmal sage ich mir, ›Junge, das ist es, das ist es, es wird. Und ich versteh's‹ Dann bin ich völlig aus dem Häuschen und mache mich gleich an die Modelle, und die Modelle kosten mich dann den letzten Nerv, denn für sie benötigt man Informationen über den Maßstab und die Raumverhältnisse, also etwas, was man nicht ganz mit den Zeichnungen klären kann. Die Zeichnungen sind Randerscheinungen. Die Modelle sind das Wesentliche: Sie werden dann in der nächsten Phase selbst zu Skizzen.«

Gehry möchte die Menschen auf nachgerade körperliche Weise in seine Gebäude miteinbeziehen, indem er ihre Einzelkomponenten auf ein menschliches Format begrenzt und taktile Materialien verwendet. Es ist leichter, das Gebäude zu konzipieren, wenn man mit einem Modell im kleinen Maßstab arbeitet, das man eher wie eine Plastik behandelt, die man auf ein Tischkarussell stellen und von allen Seiten betrachten kann. Der Nachteil eines solchen kleinformatigen Modells besteht jedoch für Gehry darin, daß man leicht »selbstzufrieden wird. Man vergißt, daß es sich um Architektur handelt, weil man sich ganz auf den Gestaltungsprozeß konzentriert.« Indem er zwischen verschiedenen Maßstäben hin- und herspringt, ist der Architekt automatisch gezwungen, sich Gedanken über die tatsächlichen Dimensionen zu machen: »Ich sehe mir die Dinge immer auf Augenhöhe an und überlege mir, wie wohl der Raum aussieht. Indem ich den Maßstab verändere, verhindere ich, daß mich das Modell in seiner jeweiligen Gestalt zu sehr fasziniert. Die Realität des Modells ist eine Fiktion; es ist nicht real, sondern bloß ein Instrument für das fertige Gebäude.«

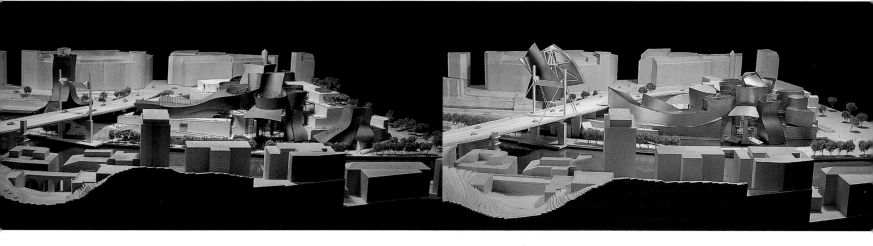

Noch tiefer verwurzelt sind Gehrys Vorbehalte gegenüber den verführerischen Eigenschaften der architektonischen ›Renderings‹ (Präsentationszeichnungen), der allzu glatten Darstellung von Projekten, die man ›an den Mann bringen‹ möchte. Bevor Gehry sich in Los Angeles selbständig machte, zeichnete er selbst Renderings, um sich seinen Lebensunterhalt zu verdienen. Unterrichtet von Carlos Diniz, einem professionellen Renderer, gelang es ihm zwar Perspektiven und Bäume präzise zeichnen, nicht aber Menschen. Doch die Fertigung solcher Zeichnungen stellte Gehry nicht zufrieden: »Ich spürte, wie ich mich selbst durch ein gutes Rendering oder eine gute Zeichnung davon überzeugen ließ, daß etwas tatsächlich gut sei. Und daher habe ich mich von all dem abgewandt. Ich beschäftigte einen Statiker damit, meine Ideen aufzuzeichnen, so daß ich mich mit dem trockenen Charakter der Zeichnungen herumplagen mußte, um zum Wesentlichen des Projekts vorzudringen – ohne das verführerische Element. Während dieser Zeit, Mitte der sechziger Jahre, begann ich Skizzen für mich selbst anzufertigen.« Da er Präsentationszeichnungen als stilisiert und künstlich empfindet, zieht Gehry es vor, schon während der Entwicklungsphasen eines Projekts mit Modellen zu arbeiten. Sobald diese ihrerseits skizzenartig und frei zu werden drohen, hört er in der Regel mit dem Zeichnen auf. Doch »häufig führen mich die Modelle in eine Sackgasse«, so Gehry weiter, »und ich kehre wieder zu Skizzen zurück. Sie werden für mich zu dem Vehikel, das das Projekt vorantreibt, wenn ich nicht mehr weiterkomme.«

Architektonische Probleme werden anhand von schematischen Modellen in Angriff genommen, bei denen pragmatische Lösungen gegenüber ästhetischen Entscheidungen im Vordergrund stehen; im ständigen Dialog mit plastischen Studienmodellen entwickelt sich so schließlich der endgültige Plan. Anhand von sechs Modellen für das Bilbao-Projekt läßt sich die Entwicklungsphase veranschaulichen: 1.) das plastische Massenmodell im Maßstab 1:500 aus amerikanischem Lindenholz und Papier; 2.) das von Krens geforderte Präsentationsmodell im Maßstab 1:200 aus Gips und Metall, das am 16. September 1991 in New York dem Aufsichtsrat der Solomon R. Guggenheim Foundation und Vertretern des Baskenlands vorgestellt wurde und bei dem es sich im Grunde um eine bereinigte Fassung des Massenmodells handelte; 3.) das schematische Entwurfsmodell, im Maßstab 1:200, das aus Holz und Metall bestand und im Februar 1993 fertiggestellt wurde; 4.) das schematische Modell im Maßstab 1:200, das anläßlich des ersten Spatenstichs für das Guggenheim Museum Bilbao am 20. Okto-

*Gegenüberliegende Seite und oben von links nach rechts*: Demonstrationsmodell aus Gips und Metall zur Vorstellung vor dem Kuratorium der Solomon R. Guggenheim Foundation und den Vertretern der baskischen Behörden in New York am 16. September 1991; schematisches Entwurfsmodell aus Holz und Metall vom Februar 1993; schematisches Modell aus Holz und Papier zur Vorstellung anläßlich der Feier des ersten Spatenstichs in Bilbao am 20. Oktober 1993; Entwurfsmodell aus Lindenholz, an dem Gehry von Herbst 1992 bis Dezember 1993 arbeitete.

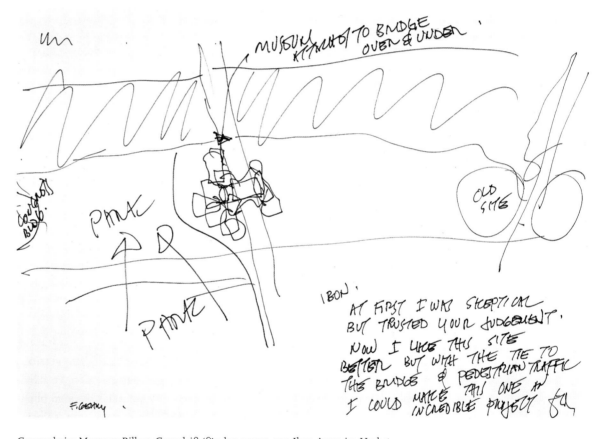

Guggenheim Museum Bilbao, Grundriß (für den neuen, von Ibon Areso im Herbst
1992 vorgeschlagenen Standort), Spätherbst 1992. Tusche auf Papier, 23 x 30,5 cm.

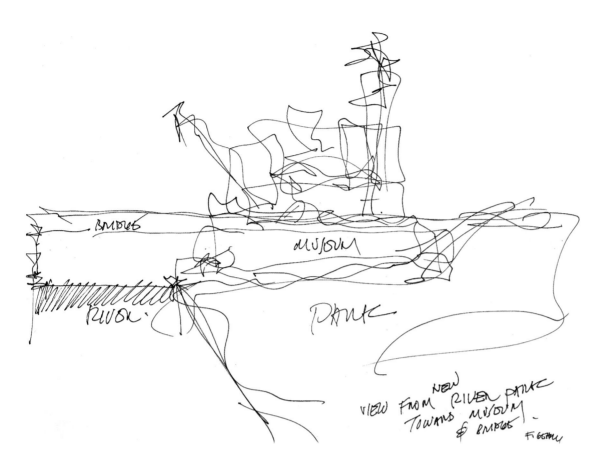

ber 1993 präsentiert wurde, und das aus Holz und Papier besteht; 5.) das Entwurfsmodell im Maßstab 1:100 aus amerikanischem Lindenholz und Papier, an dem Gehry vom Herbst 1992 bis zum Dezember 1993 arbeitete; und 6.) im Februar 1994 noch einmal ein größeres Modell im Maßstab 1:100, dessen verfeinerte, aus dem Entwurfsmodell abgeleitete und computergenerierte Formen aus Industrieschaum und Holzklötzen bestehen, die Metall und spanischen Kalkstein darstellen. Ab Februar 1994 entstanden mehrere weitere Modelle der Innengalerien im Maßstab 1:25; eines von ihnen beschränkte sich auf einen Block mit den Innenräumen der sechs klassischen Galerien und diente dem Studium der eigens angefertigten Beleuchtungskörper.

Ein Ergebnis der Durchführbarkeitsstudie war, daß sich die Quadratmeterzahl des neuen Museums Ende Herbst 1992 um ein Drittel von 36.000 m² auf 24.000 m² verringert hatte, um dann schließlich wieder auf 28.500 m² anzuwachsen, wohingegen das erstrebte Verhältnis zwischen Galerien und sonstigen Einrichtungen, Depot, Museumsshop, Restaurant, etwa so blieb wie zuvor. Die Reduzierung des Raums wurde für Gehry zu einer befreienden Herausforderung, seinen Wettbewerbsvorschlag offen zu hinterfragen und das Projekt nicht nur zu überdenken, sondern so erforderlich, noch einmal ganz von vorne zu beginnen. Genau in diesem Moment machte ihm Ibon Areso, der Stadtplaner von Bilbao, den Vorschlag, den Standort des Museums um eine Brücke weiter nach Westen zu verlegen. Diese Brücke verband das Museo de Bellas Artes mit der am anderen Flußufer gelegenen Universidad de Deusto. Es ist bemerkenswert, wie wenig fixiert Gehry auf seinen ursprünglichen Plan war; er begriff die interes-

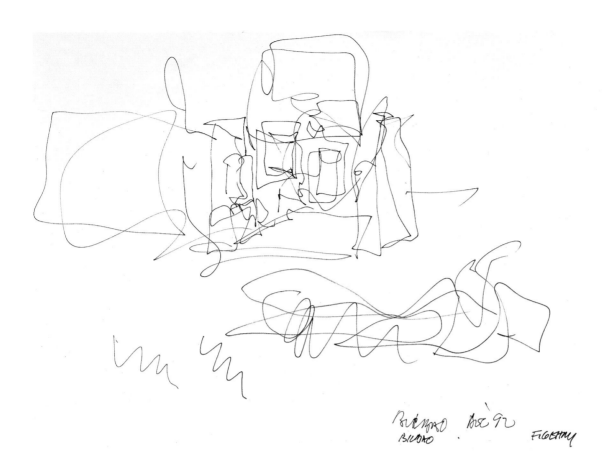

Guggenheim Museum Bilbao,
Grundriß vom Dezember 1992.
Tusche auf Papier, 23 x 30,5 cm.

Guggenheim Museum Bilbao,
Grundriß (oben) und Ansicht
des Turmes (unten), Spät-
herbst 1992. Tusche auf
Papier, 23 x 30,5 cm.

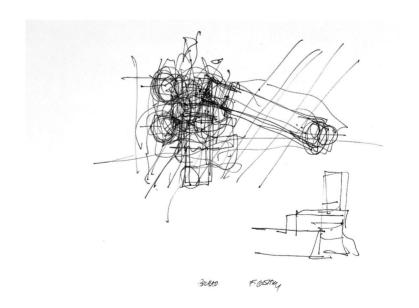

sante urbanistische Möglichkeit einer Verbindung des Guggenheim Museums Bilbao mit einer direkt daneben projektierten Kongreßhalle: Gemeinsam hätten die beiden Bauten als Tor zum älteren, südlich gelegenen Teil der Stadt fungiert. Das Museum sollte die Ober- und die Unterseite der Brücke mitein-beziehen, so daß der Fußgänger- und Autoverkehr buchstäblich durch das Museum hindurchgeflossen wäre, und das Gebäude nicht nur Besuchern, sondern auch der Bevölkerung von Bilbao insgesamt offengestanden hätte. Man begann, ein Modell zu erarbeiten, aber kurze Zeit später wurde dieser neue Vorschlag, so reizvoll er gewesen war, wieder verworfen.

Nach diesem Umweg wurde das Bilbao-Projekt noch einmal gründlich unter die Lupe genommen und dann wie geplant fortgesetzt. Ende Herbst 1992 skizzierte Gehry auf vier Blättern noch einmal die städtische Situation, zerlegte Gebäudeelemente in ihre Einzelteile und setzte sie neu zusammen. Eine Skizze zeigt einen neuen Entwurf der langen Galerie als großen quadratischen Raum mit den beiden in der Mitte dicht beieinanderstehenden Zikkurats. In einer anderen Skizze besteht die Westfassade, deren Zikkurat und Rampe in Richtung des Industriegebiets weisen, nicht mehr aus einer langen Wand wie im Wettbewerbsmodell, sondern ist durch zwei plastisch gerundete, wenn auch noch unausgearbeitete Akzente ersetzt. Der Museumseingang verläuft im Verhältnis zur Straße stärker in diagonaler Richtung. Ein langer Bau mit einer leicht plastischen Note gegenüber der auf der Südseite gelegenen Stadt, der sich schließlich zu einem blauen Bürogebäude entwickeln sollte, wird im Maßstab reduziert, um ihn den umliegenden Gebäuden anzupassen, und führt direkt in das Atrium, in dem keine Zikkurat mehr vorgesehen ist. Die lange Galerie erstreckt sich unter der Brücke hindurch und mündet auf der anderen Seite in einem plastischen Akzent, aus dem sich der Turm entwickeln soll. Ein Vermerk in der rechten unteren Ecke erläutert, wie der Turm auf der langen Galerie aufsitzt und mit ihr verbunden ist.

Guggenheim Museum Bilbao,
Oberlicht (oben links), Ansicht
von Norden (oben rechts),
Grundriß (unten links) und
Oberlichtdetails (unten rechts),
Spätherbst 1992. Tusche auf
Papier, 23 x 30,5 cm.

Meinungsverschiedenheiten über den Plan für das Gebäude wurden in einer Auseinandersetzung bei-
gelegt, die sich von Anfang November bis Weihnachten 1992 hinzog. In dem abschließenden Gesamt-
konzept waren drei konzentrisch angeordnete, geradlinige Galerien vorgesehen, die sich vom Atrium
aus radial erstrecken sollten. Eine der Galerien tritt an die Stelle der plastischen Akzente an der Westfassade. Erstmals besitzt die lange Galerie eine gekrümmte, an ein Boot erinnernde Form, wie aus der
Flußansicht oben auf dem Blatt hervorgeht. Den vorgesehenen Einsparungen entsprechend, sollte die
Energie des Gesamtkomplexes gebündelt und zu einer intensiven städtischen Erfahrung verdichtet
werden. Die stiefelförmige Galerie erstreckt sich ausgehend von der Blume hinunter zum Wassergarten; daneben befindet sich ein ›gestrafftes‹ Atrium mit ausgeprägtem Vordach sowie ein plastischer
Akzent auf der anderen Seite der bootsförmigen Galerie, die schließlich in die dem Fluß zugewandte
Galerie integriert wurde. Außerdem sind in diesem neuen Plan blattartige Konturen der Galerien um
die rechteckigen Gebäudekomponenten gelegt.

Bilbao '92 July

F. Gehry

Guggenheim Museum Bilbao,
Ansicht von Norden, Juli 1992.
Tusche auf Papier, 23 x 30,5 cm.

Krens hatte auf verschiedenen Galerietypen beharrt, einigen plastischen, aber auch sechs eher ›klassischen‹, rechteckigen, die Gehrys Team spöttisch als die »drögen« bezeichnete. Krens Argument lautete: »Das emotionale und psychologische Erlebnis des Gebäudes« ähnelt dem »einer Oper«, aber »die ganze Zeit anhaltendes, lautes Crescendo ist einfach zu viel. (Gehry) mußte, erstens, den Rhythmus des Ganzen ändern, und wir mußten etwas kreieren, was das bewirkte. Es gibt ja gute Gründe dafür, warum Galerien rechtlinig sind. Ich meine, sie sind zweckmäßig, eingedenk der Tatsache, daß wir aufrecht gehen und daß die Gemälde an der Wand hängen.« Die festen, durch die klassischen Galerien nötig gewordenen Wände wirken etwas streng, aber Krens war der Ansicht, daß »ein Gebäude von Zeit zu Zeit eine gewisse Disziplin benötigt (...) Man baut nicht jedesmal einen Flugzeughangar, wenn man etwas machen will (...) Es ging um Disziplin und Kontraste.«

Gehry hörte Krens aufmerksam zu, akzeptierte die von ihm vorgeschlagenen vier Meter hohen Wände, fügte auf der obersten Etage einen gewölbeartigen Raum hinzu und ging im Lauf der Zeit auch auf weitere Wünsche ein, darunter dem nach größeren Oberlichtern und dem nach durchlaufenden Lichtschächten in der Mitte der geradlinigen, jeweils zweigeschossigen Galerien, die dort eine natürliche Lichtquelle gewährleisten sollten. Das einzige ästhetische Prinzip, von dem der Architekt nicht abwich, war die Forderung, daß die klassische weiße Box am Ende integraler Bestandteil des Gebäudes sein sollte, nahtlos verwoben und zugleich konfrontiert mit den plastisch geformten Galerien, um so eine Einheit von Gegensätzen zu erzielen: die Strenge des Geometrischen kombiniert mit der Flüssigkeit des Organischen.

Während die Entscheidung über den Gesamtplan für das Museum im Verlauf der Auseinandersetzungen Ende 1993 gefallen war, oblag nun dem Projektteam die Ausarbeitung der Details. Gehry und Edwin Chan begannen das Blumenmotiv und das Atrium neu zu gestalten, eine Aufgabe, die sie bis Oktober 1993 bzw. bis zum Herbst 1994 beschäftigen sollte. Die Fertigstellung des Entwurfs für den Turm dauerte sogar bis März 1995. Gehry hatte sich zu fragen begonnen, »was (das Blumenmotiv) eigentlich mit Kunst und ob es etwas mit diesem Museum zu tun hat«, wie er sich im November 1996 erinnerte. Er entsann sich auch an die folgende Episode: »Ich kam in Krens Büro, und Richard Serra war dort sowie Michael Govan (der frühere stellvertretende Direktor des Guggenheim). Sie unterhielten sich über Boccioni, und sagten, sie nähmen an, es käme von Boccioni (...) Ich kannte Boccionis Werk zwar, aber es hatte mich nie in Begeisterung versetzt, ich glaube also, daß das eine eher zufällige Interpretation war.«

Modell mit Darstellung der klassischen Ausstellungsgalerien, 1993.

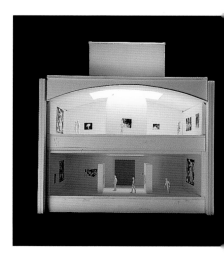

Aber wenn man an Umberto Boccionis Bronzeplastiken denkt, insbesondere die *Entwicklung einer Flasche im Raum* (1912), die einen ausgeprägt architektonischen Charakter besitzt, gibt es natürlich Ge-
meinsamkeiten zwischen Boccionis Version des *élan vital*, der auf dem Bergsonschen Prinzip der Dauer
beruht, und Gehrys Strategie eines alles durchströmenden Energieflusses. Von Sprüngen im Maßstab in
Boccionis Flasche und Gehrys Blume gegenüber einzelnen Gebäudekomponenten bis zur spiralförmigen
Bewegung lassen sich Analogien zwischen beiden feststellen. Doch Boccioni brach das Objekt auf, indem er seine Teile neu anordnete und dabei vom Kern ausgehend die Plastizität des Objekts in einer spiralförmigen dynamischen Spannung in den Raum fortschraubte. Gehry hingegen läßt seine Blume in
disparate Elemente zerfallen, die sich in einer gleitenden Bewegung seitwärts und nach unten verbreiten,
dabei an das Strömen des Flusses und das Fließen des Verkehrs erinnern und letztlich auch in der Ver-
knüpfung blattförmiger Galerien mit geometrischen Gebäudeelementen einen Widerhall finden.

Boccioni ging es darum, »*in der Plastik* wie in allen anderen Künsten die traditionell ›erhabenen‹ *Gegen-
stände* abzuschaffen«, wie er in seiner Schrift *Die futuristische Plastik. Technisches Manifest* (1912) verkün-
dete. Gehry hingegen verhält sich mehrdeutig, indem er sich des Motivs der Blume bedient, das in dem
überwiegend katholischen Baskenland zwangsläufig Assoziationen an das erhabene Symbol des Göttli-
chen – die Rose der Jungfrau Maria – weckt, dieses dann aber von der Kathedrale aufs Museum über-
trägt, es also in einen anderen Kontext stellt und damit zum Kommentar seiner selbst macht. Aber indem er den Entwurf dieses Motivs, das sich zwangsläufig der Plazierung funktionaler Oberlichter für
Galerien anpassen mußte, individualisierte und indem er die Blume in Titanzink, einem Industriemateri-
al, ausführte, gelang ihm am Ende ein entmythisiertes emotionales Erinnerungsbild, das nicht mehr
durchdringend wirkt, sondern dahinzuschwinden scheint. Als Verzierung auf der Spitze des RTD-Haupt-
sitzes wäre Gehrys Blumenform in Frank Lloyd Wrights Worten zu einem »ungehobelt-kommerziellen
Konkurrenten« des Kirchturms geworden, aber über dem Atrium des Guggenheim Museums Bilbao entfaltet sich das Blumenmotiv zu einem vergänglichen Zeichen unserer Zeit, dessen Bedeutung sich ent-
zieht und rätselhaft bleibt.

Im Dezember 1992, gegen Ende der Entwurfsphase, war Gehry sich durchaus im klaren darüber, daß
zwischen dem Äußeren und dem Inneren der Blume ein krasses Mißverhältnis bestand. Außerdem sah

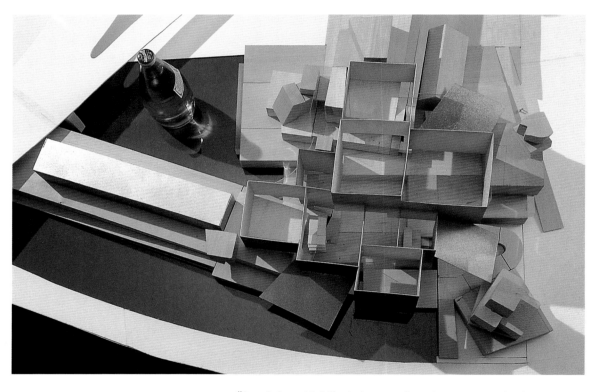

Überarbeitetes Modell mit einem quadratischen Atrium und Galerien anstelle
der blumenförmigen Oberlichter, Spätherbst 1992.

er sich veranlaßt, die Struktur des Atriumbereichs neu zu definieren, nachdem Krens kritisiert hatte, daß ihn die Halle mit den Zikkurats und den verschiedenen Wänden, an denen Gemälde oder Video-projektionsflächen aufgehängt werden sollten, zu sehr an eine »Hotellobby« erinnere. Auf der Suche nach einer Möglichkeit, diese Elemente miteinander zu verbinden, griff Gehry zu radikalen Maßnah-men, indem er die Blume ›beschnitt‹ und die Oberlichter auf rein funktionale Quadrate reduzierte. Dann verwandelte er das Atrium selbst in ein Viereck und füllte es mit mehreren quadratischen Gale-rien. »Ich erwartete nicht, daß ich das wirklich machen würde, ich wollte bloß einen Weg zurück fin-den«, erinnerte Gehry sich in einem Interview vom November 1996. »Ich komme immer wieder auf das Grundlegende zurück: Rechtecke, Kisten, die ganz einfachen Dinge.« Krens, der zufällig gerade am Büro vorbeikam, lehnte den revidierten Entwurf rundweg ab. Der Architekt erinnert sich, daß Krens zu ihm sagte: »Ich will nichts in dieser Art. Denk an Frank Lloyd Wright: Entweder man haßt es oder man liebt es. Flavin hat dort eine Installation gemacht, Calder hat darin sehr gut gewirkt, und wenn man lebende Künstler hat, dann reagieren sie auch entsprechend darauf.«

Krens Antwort rief in Gehry die Erinnerung an eine Diskussion über Museen wach, die er etwa fünf-zehn Jahre zuvor mit dem Konzeptkünstler Daniel Buren geführt hatte.[22] Damals hatte er die Ansicht vertreten, »daß sich das Museum ganz zurücknehmen und eine schlichte Box sein sollte, in der die Künstler machen können, was sie wollen«. Gehry hatte erwartet, daß man in ihm den »netten, höfli-chen Architekten« erkennen und ihm beipflichten würde, weil er sich der Kunst gegenüber so respekt-voll zeigte. Doch zu Gehrys Überraschung reagierte Buren ganz anders: »Sollten Sie sich selbst einmal mit so etwas befassen, dann machen Sie das beste Gebäude, zu dem sie imstande sind. Ein einfacher, neutraler Raum wäre glaube ich das Schlimmste, was man machen kann. Wozu denn auch?« Bei sei-ner Verwandlung des Atriums in Galerien war es Gehrys Absicht gewesen, sich der Kunst unterzuord-nen, aber Krens hatte ihm damals gesagt: »Es war gar nicht nötig, im Atrium Ausstellungsraum zu schaffen. Dieses Atrium gehört dir, du bist hier der Künstler. Das ist deine Plastik (...) und dann machst du perfekte Ausstellungsräume drumherum.« Krens drängte Gehry, sich auf einen spekta-kulären Zentralraum zu konzentrieren, von dem die Galerien ihren Ausgang nehmen und in den sie münden könnten. Die Galerien sollten für eine möglichst große Palette unterschiedlicher Kunstwerke geeignet sein. In Krens Worten: »Das Museum sollte einerseits die größte und schwerste zeitgenössi-sche Skulptur und andererseits eine Picasso-Zeichnung zeigen können.«

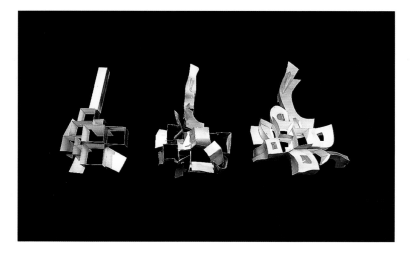

Modellteile, Studien zur Außengestal-
tung des Atriums, September 1992.

Nachdem Gehry realisiert hatte, daß die ›Blume‹ tatsächlich nur das Atrium bedecken und sich nicht über die Galerien erstrecken mußte, konnte er ihre Struktur verdichten. Dieser Schritt führte zur Metamorphose der Blume in drei vom Atrium abstrahlende Galerien, deren Konturen vage an Blätter erinnern und außerdem Anklänge an nautische Motive sowie den ›gekappten‹ Fisch aufweisen. Eine der Galerien sollte den Fluß entlang neben der stiefelförmigen Galerie verlaufen, eine andere zwischen der Eingangsrampe und den geometrischen Gebäudeteilen, in denen sich die sechs ›klassischen‹ Galerien befanden, und die dritte sollte die gegenüberliegende Flußseite mit einbeziehen. Als nächstes konnte dann die ›Blume‹ auf dem Atrium erweitert und letzeres im Gegenzug komprimiert werden.

Gehry läßt sich nicht nur von architektonischen Möglichkeiten, sondern häufig auch von bildender Kunst inspirieren: »Bei diesem Gebäude habe ich mir häufig die Scherenschnitte von Matisse angesehen, diese großen, langen, willkürlich ausgeschnittenen Formen (...) in ihrer Unbeholfenheit.« Diese Scherenschnitte brachten ihn auf den Gedanken, daß die bootsähnliche lange Galerie und die drei blattförmigen Galerien durch die ungezwungenere Anordnung ihrer Formen einen ähnlich ›unbeholfenen‹ Eindruck vermitteln könnten, obwohl sie ursprünglich einem endlosen Verfeinerungsprozeß unterzogen worden waren. Darüber hinaus hat »die Verwandlung von Architektur in Skulptur« für Gehry einen ganz eigenen Reiz, wie seine Fisch- und Schlangenentwürfe belegen. 1990, als er den Firmensitz der Chiat/

Bürogebäude der Agentur Chiat/
Day in Venice/Kalifornien, 1991.

Eine der »blattförmigen«
Galerien im Guggenheim
Museum Bilbao, Juli 1997.

Verwaltungsgebäude Nationale-Nederlanden in Prag, 1996.

Day Werbeagentur in Santa Monica entwarf, präsentierte der Architekt einen Vorschlag für die Fassade, bei dem er in die Mitte des Architekturmodells ein anderes kleines Modell in Form eines Fernglases eingefügt hatte, das von Claes Oldenburg stammte. Auf diese Weise war es möglich, ein sonst vielleicht unrealisiert gebliebenes künstlerisches Projekt im Rahmen einer Kooperation zu verwirklichen, durch die die *Binoculars* zu einem integralen Bestandteil des Gebäudes wurden und dennoch ihre Unabhängigkeit bewahrten.

Gehry hat sich nie gescheut, sich von Bildern von Künstlern beeindrucken zu lassen, die er schätzt. Er spricht in diesem Zusammenhang von einem »Gesellschaftsspiel«: »Jeder der Mitspieler legt eine Idee auf den Tisch, und es ist verblüffend zu sehen, wie sich der Einsatz ständig erhöht: von den *London Knees* (einem Multiple Oldenburgs) über Prag (Gehrys Bürogebäude für die Nationale-Nederlanden) bis zu Richard (Serras) neuen Arbeiten. Richard sagt, daß er von der Lewis Residence beeinflußt worden sei, und es ist offensichtlich, daß ich von den *Knees* beeinflußt worden bin, auch wenn mir das damals noch nicht klar war. Jeder sieht es, und auch Stella hat es gesehen. Für mich ist es so etwas wie eine gemeinsame Sprache.« Da Krens ihm volle Rückendeckung gab, konnte Gehry sich nun bei seinen Entwürfen für das Atrium völlig frei zwischen Architektur und Skulptur hin- und herbewegen. In Gehrys eigenen Worten: »Irgendetwas in mir wartete darauf, entdeckt zu werden.«

Gehry ist sich völlig darüber im klaren, daß er sich an den Grenzen einer strengen Auffassung von Architektur bewegte. »Zu sagen, daß ein Gebäude eine bestimmte architektonische Haltung einnehmen muß, ist zu engstirnig; am besten ist es, wenn man dem Plastischen einen praktischen Zweck verleiht. Wenn man die Schönheit der Plastik in das Gebäude übersetzen kann (...) dann besteht darin das Innovative der Architektur, ganz egal auf welche Weise sie diese Bewegung und dieses Gefühl vermittelt.« Für Gehry war Le Corbusier derjenige, der sich mit der Innovation von Materialien und Techniken »in einem plastischen, über die Architektur hinausgehenden Sinne« auseinandersetzte »und diese über ihre Grenzen hinaustrieb«.

Guggenheim Museum Bilbao, die Verglasung der Curtain-walls führt zum Atrium.

Beim Entwurf für das Atrium setzte Gehry sich zunächst mit den in funktioneller Hinsicht unverzichtbaren Teilen des Gebäudes auseinander: zwei Aufzüge, zwei Treppen, Technikschächte und Laufstege. Aufgrund des veränderten Formats der Blume mußte der Raum an der Spitze um ein Drittel erhöht werden, damit die Proportionen hinsichtlich der umliegenden Häuser und der Brücke gewahrt blieben. Auf diese Weise schien das Guggenheim Museum Bilbao von ferne mit der umliegenden Stadtlandschaft zu verschmelzen und zugleich aus der Nähe überlebensgroß. Gehry überlegte sich, wie man die Menschenströme durch die Galerien würde lenken können, und hatte die Idee, eine am Ende des Galerieraums in der zweiten Etage gelegene Aussichtsplattform mit Blick auf die Stadt einzurichten. Dabei hatte er visionäre Stadtentwürfe im Sinn, *The New City* von Antonio Sant' Elias zum Beispiel, oder, nachhaltiger noch, Bilder aus Fritz Langs Film *Metropolis* aus dem Jahr 1926. Gehry gefiel die Idee, im Inneren des Museums einen zentralen Ort zu schaffen, der als Metapher für die ideale moderne Stadt dienen sollte, in der Künstler ihre Werke aufstellen und diese vom Raum Besitz ergreifen lassen konnten, während Außenplastiken im öffentlichen Raum sonst von den Gebäuden in ihrer Umgebung in den Schatten gestellt werden.

Die Vorhangwände aus geformtem Glas, welche die Spalten zwischen den konzentrisch angelegten, Galerien und der Fortsetzung der in das Atrium führenden Eingangsrampen ausfüllen sowie die große

Das Atelier von Constantin Brancusi.

Guggenheim Museum Bilbao, Ansichten des Atriums in Modellen und im ausgeführten Gebäude.

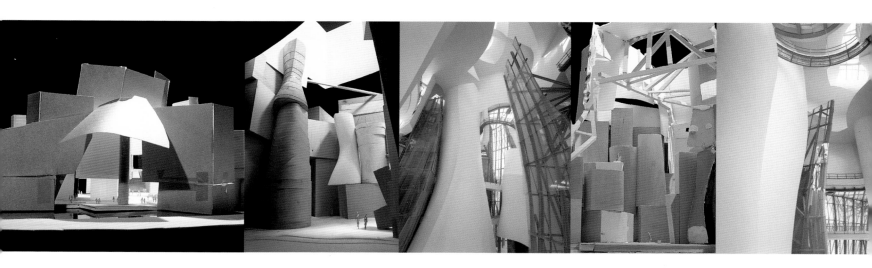

fensterartige, ebenfalls verschiedene Glasformen enthaltende Öffnung entlang der Flußseite ermöglichen eine Interaktion mit der Stadt. Befindet man sich zum Beispiel im Inneren des Atriumraums, so kann man einen Teil des gewaltigen Oberlichts über der langen Galerie und zugleich einen Abschnitt der Puente de la Salve sehen. Dreht man sich um, fällt der Blick durch den Eingang auf die Gebäude entlang der Alameda de Mazarredo, und in der Gegenrichtung sieht man am anderen Ufer des Nervión einen Teil der Universidad de Deusto. Gleichzeitig erscheinen die Gläser der Vorhangwände als Negative jener skulpturalen Elemente, die am Rand des Atriuminneren vertikal aufgestellt sind: etwa drei rechteckige verformte Kalksteinobelisken, in denen sich technisches Gerät befindet; zwei Aufzugtürme, der eine aus Glas, der andere verputzt; zwei Treppenhäuser, wiederum das eine aus Glas und das andere verputzt; sowie ein verputzter Turm mit einer Nische und eine ebenfalls verputzte Stützsäule.

Die visuelle Überlagerung positiver und negativer, einander überragender und sich gegenseitig verdeckender Formen führt zu einer starken optischen Dynamik. Trotz der überwältigenden Höhe des Atriumraums schwebte Gehry vor, daß man dort eher das Informelle eines überladenen erlebt, etwa so, wie vor Brancusis legendärem, von unzähligen Werken in den unterschiedlichsten Maßen und Materialien überquellendem Arbeitsplatz. Für Gehry ist eine solche, sich organisch entwickelnde Umgebung idealer

Formen in zufälligen Verbindungen ein Prototyp für urbanistische Gestaltung: »(Brancusis Atelier) wirkte wie eine ganze Stadt (...) die ideale Stadt, obwohl ich nicht glaube, daß er das beabsichtigte.« Obwohl bei Gehry die Obelisken, Säulen und Türme bis an die Decke des Atriums emporragen, wo sie optisch mit dem plastisch gestalteten, verputzten Dach, durch dessen verglaste Öffnungen das Innere mit Licht überflutet wird, verschmelzen und wie bei einer gothischen Kathedrale zu einer Steigerung der Vertikalität beitragen, zerstreut sich dieser Aufwärtsschub in der äußeren Blume, die sich darüber entfaltet und in die blattartigen Galerien auseinanderfällt, die sich seitwärts über die bootsartige Galerie ergießt und dann von der stiefelartigen Galerie aus nach unten in den Wassergarten fließt – zusammengehalten durch das schimmernde, sonst im Flugzeugbau verwendete Material Titanzink.

Für eine Komponente des Guggenheim Museums Bilbao, nämlich für den Turm oder Reader auf der anderen Seite der Puente de la Salve-Brücke, war noch immer keine Lösung gefunden worden, und finanzielle Mittel standen dafür nur noch in begrenztem Maße zur Verfügung. Daher konnte der Turm schon jetzt nur noch eine Treppenflucht aufnehmen, die auf das Straßenniveau der Brücke emporführt. Während eines Vortrags im Frühjahr 1997 erinnerte sich der Architekt daran, seinerzeit vorgeschlagen zu haben, den Bau des Turms zu verschieben, um das Budget von 100 Millionen US-Dollar nicht zu überschreiten, und zugleich bei den Bürogebäuden und den klassischen Galerien auf den Kalkstein zu verzichten und den Turm statt dessen zu verputzen. Doch diese Vorschläge stießen bei Vidarte und seinem Team auf taube Ohren: »Das war das erste Mal, daß ich auf ›baskischen Granit‹ biß«, erklärte Gehry. Im Wettbewerbsmodell sei von Stein und einem Turm die Rede gewesen, und dabei solle es auch bleiben, lautete die bündige Antwort.

Die Entwicklung des Turms, im Wettbewerbsmodell als plastische, an der Basis nach vorne drängende Form dargestellt (eine Idee, die an den Entwurf für den RTD Wolkenkratzer erinnerte), war nach und nach mit jener »Sackgasse« einhergegangen, die in der Skizze vom August 1991 durch Steine veranschaulicht und im Modell von hölzernen Klötzen repräsentiert wird. Diese Steine wurden an ihrem Ort belassen, »um wenigstens mein Gewissen immer wieder wachzurütteln, daß ich etwas unternehmen mußte«, wie Gehry sich erinnert. »Zum Schluß sah es so aus, als ob der Fluß in einem Containerbündel nach oben geflogen wäre, und das habe ich dann auch akzeptiert.« In der Folge verwandelten sich die beiden »Sackgassen«-Komponenten in Café- und Magazinräume, die in Kalkstein errichtet werden sollten und zum Teil unter der an die Brücke angrenzenden Rampe lagen. Das gewaltige Oberlicht, das sich über der langen Galerie zur Brücke hin erstreckt, der Turm auf der anderen Seite und die »Sackgassen«-Steine mit der Rampe ergänzen sich in formaler und programmatischer Hinsicht. Von jedem dieser Orte läßt sich das Straßenniveau der Brücke erreichen. Man kann aus dem Turm herauskommen und auf die Brücke treten oder zum Fluß hinabsteigen und sich auf die Stadt hin orientieren.

Gehry dachte eine Weile lang an ein offenes, dem Fisch in Barcelona ähnelndes Drahtgeflecht, später an einen Glasturm oder an einen Turm aus einer Kombination von Kalkstein und Metall mit einem Restaurant und einer Terrasse auf dem Dach, doch Krens lehnte ab. Auch der Vorschlag, dort einen Galerieraum unterzubringen, wurde zurückgewiesen. Eine Woche lang dachte Gehry an einen Steinturm mit einer Drahtstruktur, aber keiner dieser Entwürfe stellte ihn wirklich zufrieden. Der Durchbruch kam im Spätherbst 1994: Der Architekt faßte den Turm nun als ein autonomes, plastisches Element auf. In Titaniumzink gehüllt, hatte der Reader zu sehr wie eine Imitation des dominanten Blu-

Modellaufnahme des »logjams« – der kubischen und zylindrischen Formen, die von
der Brücke zu stürzen scheinen, 1993.

Die Gestaltung des Turmes im Wettbewerbsmodell, Juli 1991.

Die Gestaltung des Turmes im Demonstrationsmodell, das dem Kuratorium der
Solomon R. Guggenheim Foundation und den Vertretern der baskischen Behörden
am 16. September 1991 in New York vorgestellt wurde.

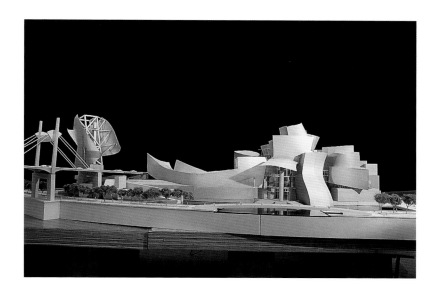

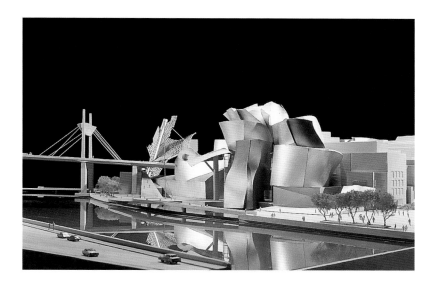

Polaroidaufnahme des Turmes im schematischen Entwurfsmodell vom Februar 1993.

Die Gestaltung des Turmes im schematischen Modell, das zur Feier des ersten Spatenstichs in Bilbao am 20. Oktober 1993 vorgestellt wurde.

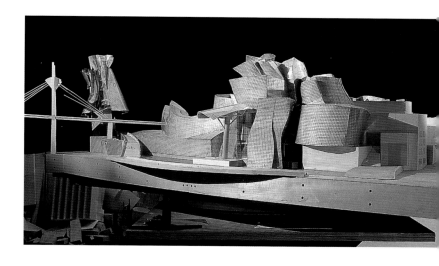

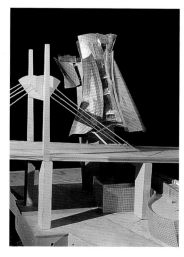

Die Gestaltung des Turmes im Entwurfsmodell, an dem Gehry von Herbst 1992 bis Dezember 1993 arbeitete.

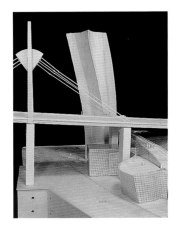

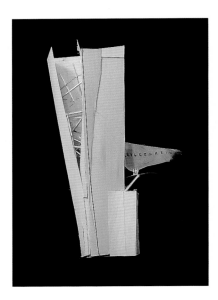

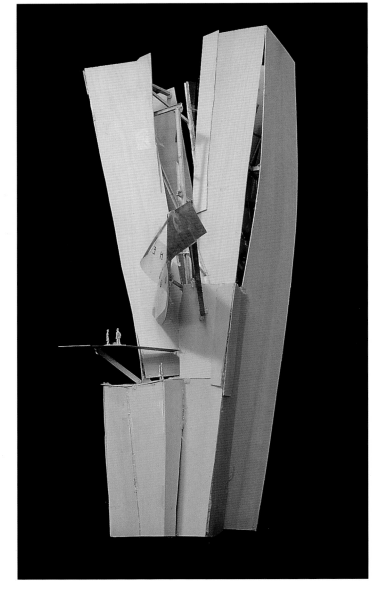

*Oben links, oben und rechts*: Die Gestaltung des Turmes im endgültigen Modell vom Februar 1994.

*Oben rechts*: Der Turm im Bau, Juni 1997.

menmotivs gewirkt; doch in der Kalksteinausführung mit langen Flächen, die so aufgebrochen sind, daß die Stahlstruktur im Inneren sichtbar wird, stand der Turm plötzlich in einem proportionalem Verhältnis zu den umliegenden Gebäuden sowie zu den neuen Büroräumen und klassischen Galerien. Indem er den Eindruck erweckte, funktionale Architektur zu sein, und zugleich eine pseudoplastische Form besaß, hatte sich der funktionslose Reader zu etwas Eigenständigem entwickelt, und sich »von Architektur in Skulptur« und wieder zurück verwandelt.

Gehry faßt den Prozeß von der ersten Skizze bis zum fertigen Gebäude folgendermaßen zusammen: »Ich begreife ihn als eine Evolution. In der ersten Skizze habe ich ein paar Grundprinzipien niedergelegt. Dann bin ich selbstkritisch geworden, was diese Bilder und diese Prinzipien angeht, und das hat zu neuen Antworten geführt. Und während sich jedes Werk entfaltet, mache ich die Modelle immer größer und rücke immer mehr Elemente und Teile des Puzzles in den Blickpunkt. Und sobald ich den Anfang habe, irgendeinen Ansatzpunkt dazu, in welche Richtung ich mich bewege, möchte ich die Teile genauer untersuchen. Und sie entwickeln sich, und irgendwann höre ich auf, und das ist es dann. Ich komme zu keinem Schluß, aber ich denke, es gibt einfach ein paar ganz reale Zwänge, warum die Sache fertig werden muß, und die akzeptiere ich. Es hat etwas mit Reife zu tun, oder wie auch immer man es nennen will, zu sagen: Halt, Schluß, Aus! Ich habe jetzt andere Ideen, und die Tür steht offen für den nächsten Schritt, aber der erfolgt nicht mehr bei diesem Gebäude, sondern beim nächsten.«

# Anmerkungen

Für ihre schnelle und effiziente Reaktion auf meine zahlreichen Nachfragen nach grundlegenden Materialien bin ich dem gesamten Büro Frank O. Gehry Associates sehr dankbar. Ganz besonders gilt mein Dank Edwin Chan, der mich voller Enthusiasmus an seiner Arbeit als verantwortlicher Architekt teilnehmen ließ, Keith Mendenhall und Matt Fineout für die Beantwortung unzähliger Fragen zum Bauprozeß und Joshua White für die Beschaffung des Photomaterials. Mein Dank gilt ebenso Jenny Augustyn, die voller Geduld das Manuskript abtippte, und meiner Familie, Claes, Maartje und Paulus, für ihr Interesse, das mich anspornte, und ihre unschätzbare Unterstützung. Tausend Dank auch an Berta Gehry, die mich ermutigte, wenn ich eine Aufmunterung brauchte, und an Frank Gehry, mit dem ich über sechs Jahre Gespräche führte, die ich immer in Erinnerung behalten werde.

1    Jorge Luis Borges, *Fiktionen*. Erzählungen 1939–1944, Frankfurt a. M. 1992, S. 33.

2    Wenn nicht anders vermerkt, stammen alle Zitate von Thomas Krens aus den am 7. und am 13. Februar 1997 geführten Interviews mit der Autorin.

3    Alejandro Zaera, »Conversations with Frank O. Gehry«, in: *El Croquis*, 74/75, Madrid 1995, S. 29f.

4    Wenn nicht anders vermerkt, stammen alle Zitate Frank O. Gehrys aus den Gesprächen mit der Autorin zwischen dem Juli 1990 und Juni 1997.

5    Interview mit der Autorin.

6    Roland Barthes, »The Death of the Author«, in: ders., *Image-Music-Text*, New York 1977, S. 148.

7   Roland Barthes (wie Anm. 6), S. 144.

8   Roland Barthes (wie Anm. 6), S. 148.

9   Peter Arnell und Ted Bickford (Hrsg.), *Frank Gehry, Buildings and Projects*, New York: Rizzoli, 1985, S. 268.

10   Frank Gehry in: »No, I'm an Architect«, Frank Gehry und Peter Arnell: A Conversation, in: Arnell und Bickford (wie Anm. 9), S. XVII.

11   Ebd.

12   Yukio Futagawa (hrsg.), *GA Architect 10, Frank O. Gehry*, Tokio: A. D. A. Edita, 1993, S. 174.

13   *The architecture of Frank Gehry*, Minneapolis: Walker Art Center, New York: Rizzoli, 1986, S. 205.

14   Sylvia Lanvin, *Building to My House: Rantings of a Mudpie-Maker, Frank O. Gehry*, unpubliziertes Interview.

15   Charles Baudelaire, »Der Maler des modernen Lebens«, in: *Sämtliche Werke//Briefe*, Herausgegeben von Friedhelm Kemp, Claude Pichois in Zusammenarbeit mit Wolfgang Drost, Bd. 5, München 1989, S. 221.

16   Lavin (wie Anm. 14).

17   Ebd.

18   Robert A.M. Stern, »Frank O. Gehry: Architecture with a Serious Smile«, in:Futagawa (Hrsg.), *GA Architect 10* (wie Anm. 12), S. 9.

19   *The Architecture of Frank Gehry* (wie Anm. 13), S.169, 171.

20   Lavin (wie Anm. 14).

21   Futagawa (Hrsg.), *GA Architect 10* (wie Anm. 12), S. 174.

22   Unpubliziertes Manuskript eines Gespräches zwischen Daniel Buren und Frank Gehry.

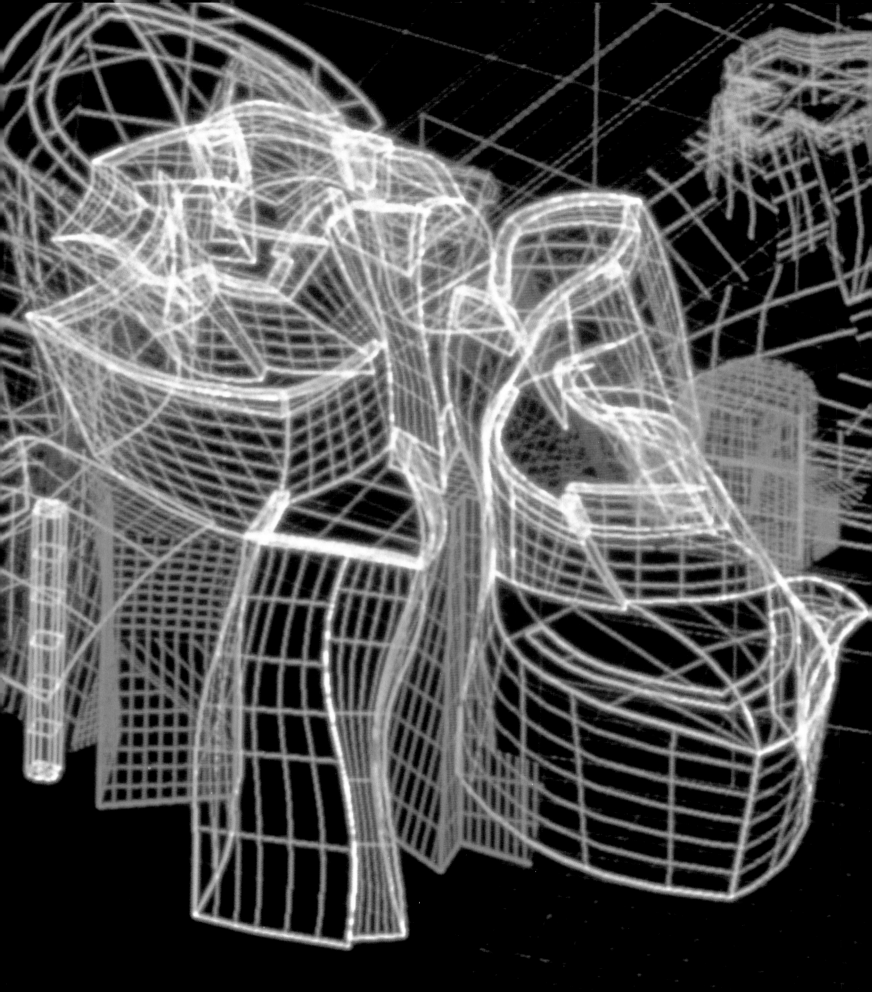

## Anhang I: Über die Anwendung des Computers

Die von der baskischen Regierung genehmigten Baukosten für das Guggenheim Museum Bilbao wären erheblich überschritten worden, hätte man nicht das ursprünglich für die französische Raumfahrtindustrie entwickelte Computerprogramm Catia eingesetzt, das den Ausführungsprozeß erleichterte, indem es Zeit sparte und ungenaue Materialberechnungen verhinderte. Es umfaßt verschiedene Softwarepakete, unter anderem einen Modellzeichner von Architekturflächen und -massen und einen Definer für die Arbeitsschritte der Fräsen im Bauprozeß. Für das Catia-Programm hatte sich Jim Glymph entschieden, einer der leitenden Mitarbeiter im Büro Frank O. Gehry and Associates.
Beim Versuch, Gehrys Entwurf einer großmaßstäblichen Fischskulptur für den Komplex der Villa Olímpica in Barcelona (1989–92) in eine Baukonstruktion zu übertragen, hatte Glymph erstmals verschiedene Möglichkeiten geprüft, die andere Architekten derzeit erproben; diese Programme erstellten seiner Meinung nach nur »Punkte im Raum, und dann entstehen dazwischen große Löcher. (…) Aber Catia, ein Programm, das mit polynomen Gleichungen anstatt mit Polygonen arbeitet, ist weit besser in der Lage, jede beliebige Fläche als Gleichung zu definieren, was bedeutet, daß der Computer jede Anfrage nach jedem Punkt dieser Fläche beantworten kann. (…) Ich mußte eine Verkleidungsmethode mit einem Plattentyp vorlegen, der in der Lage war, seine Form zu verändern. Diese wie ein Akkordeon geformte Platte konnte dann im Computer vorausberechnet werden. (…) Wir konnten die Platten auflegen und rückwärts bauen, d. h. wir bauten von außen nach innen und wendeten so per Zufall das gleiche Verfahren an wie der Planer eines Raumfahrzeugs.« Und, was am wichtigsten war, viele mit solchen Informationen ausgestattete Produzenten und Unternehmer konnten ihre Arbeiten preisgünstiger, mit größerer Genauigkeit und in kürzerer Zeit ausführen.

Bei der Arbeit mit dem Catia-Programm kam Glymph zu der Erkenntnis, daß er sich mit »der am grenzenlosesten formbaren Technologie« befaßte, »die uns jemals zur Verfügung gestanden hat«, und daß er, um Gehrys Methoden zu folgen und dessen Planungsprozeß nicht zu verändern, diese Technologie anwenden mußte – analog zur Tradition des kreativen amerikanischen Erfinders, der in seiner Hinterhofgarage arbeitete. »Wir benutzen eine Software, die ziemlich allgemeiner Natur ist, obgleich wir dort einige Leute haben, die sie individuell anpassen können; aber wie wir sie anwenden, das ist einmalig, ist ad hoc. Wir haben nicht die Mittel, welche die Raumfahrtindustrie hat, daher erfinden wir die Software je nach Bedarf. (...) Sie ist ein Werkzeug, das wir im nächsten Jahr wegwerfen können, wenn es eine besser geeignete Alternative gibt.«

Anfangs lehnte Gehry die Verwendung des Computers für seinen Entwurfsprozeß ab. Das Programm schien, wie Glymph es ausdrückte, die Architektur auf Symmetrien, Spiegelbildlichkeit und »simple euklidische Geometrie« einzuschränken, löste jedoch nicht die Probleme der Visualisierung von bestimmten gestischen Ausdrucksformen, die in plastischen, dreidimensionalen Formen resultieren, aber dennoch die Unmittelbarkeit einer Skizze ausdrücken sollten. »Ich mochte einfach die Bilder aus dem Computer nicht«, sagte Gehry, »aber als ich einen Weg fand, sie für das Bauen zu verwenden, befreundete ich mich mit ihnen.« Glymph erinnerte sich auch daran, daß er und sein Team die Geräte in einer Ecke verbergen mußten, weil Gehry sie nicht sehen wollte: »Zuerst waren wir die Verlierer, aber dann entwickelten wir einen Prozeß durch Digitalisierung und Visualisierung auf dem Bildschirm sowie eine Reihe anderer Dinge, mit Hilfe derer wir begannen, die konkrete Form zu erfassen. Und im Gegensatz zu allen anderen gingen wir immer wieder zum konkreten Modell zurück.«

Bis dahin frustrierten Gehry die von ihm konsultierten Unternehmer oder Produzenten, die behaupteten, daß seine plastischen Formen nicht baubar oder unwirtschaftlich seien. Mit der Erkenntnis, daß ihre Beschränkungen zu den seinen werden könnten, begann er immer stärker die Theorie Frank Lloyd Wrights zu übernehmen, daß ein Architekt auch Baumeister sein müsse. Im Büro hatten Veränderungen stattgefunden, sowohl durch den Eintritt von Glymph und den Architekten Randy Jefferson und Vano Haritunians als Leiter bzw. stellvertretender Leiter, als auch durch die Veränderung von Arbeitsabläufen, bei denen man sich bisher immer auf Außenstehende verlassen hatte. Durch Anwendung des neuen Computerprogramms wurde der Entwurfsprozeß beschleunigt und, da plastische Formen berechnet werden konnten, eine wirtschaftlichere Form des Bauens entwickelt, was zum Beispiel Einfluß hatte auf das Konstruieren eines Stahlskeletts oder die Überlegungen, wie Platten sich an einer Wand zusammenfügen lassen. Das neue Verfahren war sowohl

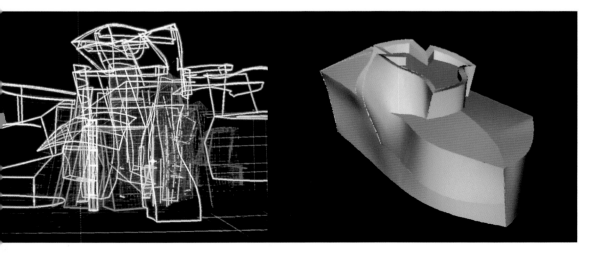

*Oben und gegenüberliegende Seite:* Guggenheim Museum Bilbao,
Catia-Renderings.

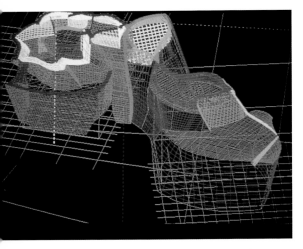

Guggenheim Museum Bilbao,
Catia-Rendering.

für hochtechnologisches Bauen, zum Beispiel für numerisch gesteuerte Maschinen, als auch für traditionelle handwerkliche Arbeit geeignet, wie sich beim Bürogebäude Nationale-Nederlanden in Prag zeigte, wo eine Vielzahl von Schablonen im Maßstab 1:1 zum Entwerfen der Formen verwendet wurde. »Frank Gehry ist ein großer Verehrer der Barockarchitektur«, sagte Glymph, »und wenn Sie die Walt Disney Concert Hall oder Bilbao oder Prag nehmen, so waren auch diese Projekte zum Teil nur aufgrund ihrer Wirtschaftlichkeit ausführbar.«

Um Gehry mehr Freiheit beim Entwerfen seiner plastischen Formen zu ermöglichen, begannen Glymph und seine Mitarbeiter zu untersuchen, wieweit diese Formen in technischer Hinsicht realisierbar waren, während sie auch Vergleiche im Hinblick auf die Kostengünstigkeit von Baumasse, Flächen und Konstruktion anstellten. »Wir konnten sie aufgrund dieser Kriterien ein wenig verbessern und sie vor Gehry am konkreten Modell erläutern, so daß er sich wieder gedanklich mit den leicht veränderten Formen auseinandersetzen konnte.« Während sich die Entwürfe ihrer unmittelbaren Realisierung annäherten, erkannte Gehry die Bedeutung des Computers für die Formbildung. Randy Jefferson und Jim Glymph erklärten 1995 in einem Interview: »Viele der von ihm jetzt entwickelten Formen sind nur aufgrund des Computers möglich. Bilbao ist das beste Beispiel dafür. Vor Beginn der Anwendung des Computers im Büro hätte man sich davon distanzieren müssen. Es hätte sich um eine Ideenskizze gehandelt, aber wir wären niemals in der Lage gewesen, sie zu bauen. Bilbao hätte mit Bleistift und Lineal gezeichnet werden können, aber es hätte Jahrzehnte gedauert.« Bei Gehry haben diese Vorstellungen eine eindeutige Veränderung seiner Architekturpraxis bewirkt: »Wir erkannten schon bei unseren frühen Bemühungen um Verbindungen zu Bauunternehmern, daß die Darstellung, je präziser sie war, desto besser entschlüsselt und auf die Bestellung von Materialien bestimmter Form und beinahe auf die Fähigkeit des Unternehmers, sie nach Farbnummern anzustreichen, reduziert werden konnte. Dies gab ihnen Sicherheit bei den Angeboten und verhinderte große Überschreitungen. Natürlich war das teurer, aber nicht so entscheidend. Dieses neue Verfahren wurde erstmals in großem Maßstab in Bilbao ausprobiert. Es hat zur Realisierung des Gebäudes im Rahmen eines vernünftigen Budgets und eines vernünftigen Zeitraums geführt. All das führt dazu, daß der Architekt letztlich mehr Verantwortung übernimmt und wieder zum Baumeister wird.«

1. Alejandro Zaera, »Conversations with Frank O. Gehry«, in: El Croquis (Madrid) 74/75 (1995), S. 153.

Das Guggenheim Museum
Bilbao im Bau.

## Anhang II: Gehry über Titan

»Das einzige neue Material, das wir in Bilbao verwendeten, war Titan. Das Titan diente als Ersatz für Bleikupfer. Ursprünglich planten wir, Bleikupfer zu verwenden; es wurde jedoch als toxisch verworfen. Wir mußten ein anderes Material finden, welches ebenso wie das Bleikupfer mit dem Licht spielen konnte; das brauchte eine lange Zeit. Wir prüften Edelstahl, wir beschichteten es, wir kratzten, schliffen und polierten es, wir versuchten, dem Baustoff das kalte industrielle Aussehen zu nehmen, versuchten auch, ein anderes Material zu bekommen, das freundlicher wirkte. Während dieser frustrierenden Zeit fanden wir einige Muster von Titan, und bei deren Betrachtung erkannten wir das Potential dieses Materials, das Wärme und Charakter hat. Bei der ersten Analyse entdeckten wir, daß Titan viel teurer war als Stahl und deshalb möglicherweise nicht verwendet werden konnte; so mußten wir in zwei Richtungen zugleich arbeiten für den Fall, daß Titan finanziell nicht erschwinglich wäre. Bis zu diesem Zeitpunkt war Titan nur sehr selten als Außenmaterial für Bauten genutzt worden. Man verwendete es zum Gießen von Flugzeugteilen, Golfschlägern und vielen anderen Dingen, wo Härte ein entscheidendes Moment darstellt. Titan wird in Rußland und in Australien gefördert und muß noch an Orten mit großen Energiequellen wie dem Hoover-Damm gewalzt und bearbeitet werden. Das Walzen des Materials ist, wie wir erfuhren, sehr heikel. Das Ergebnis kann entweder eine glanzlose oder aber eine wundervoll lichtreflektierende Oberfläche sein. Und es war für uns schwierig zu entscheiden, bei welcher Methode wir das Gewünschte erhalten würden. Schließlich gingen wir wieder nach Pittsburgh, wo das Walzen erfolgte, und schauten uns das Material auf dem Fließband an. Wir baten den Hersteller, die Suche nach der richtigen Verbindung von Öl, Säuren, Walzen und Hitze fortzusetzen, um das von uns gewünschte Material zu erhalten. Ich glaube, ein ganzes Jahr der Prüfung war erforderlich, um das zu erreichen, was wir nun haben. Das Titan ist dünner, als Edelstahl es gewesen wäre; es ist nur ein Drittel Millimeter stark und kissenartig gewölbt, es liegt nicht flach, und bei starkem Wind flattert seine Oberfläche. Dies alles sind Eigenschaften, zu denen unsere Erforschung der Anwendung dieses Materials bei Gebäuden führte. Es ist eine Ironie, daß die Stabilität von Stein eine nur scheinbare ist, weil er bei der Verschmutzung unserer Städte zerfällt, während Titan von einem Drittel Millimeter Stärke eine hundertjährige Garantie gegen die Luftverschmutzung in der Stadt bietet. Wir müssen neu überdenken, was Stabilität bedeutet.«

Die Außenverkleidung des Museums aus Titan.

Das beim Wettbewerb für das Guggenheim Museum Bilbao im Juli 1991 einge-
reichte Modell aus Lindenholz und Papier.

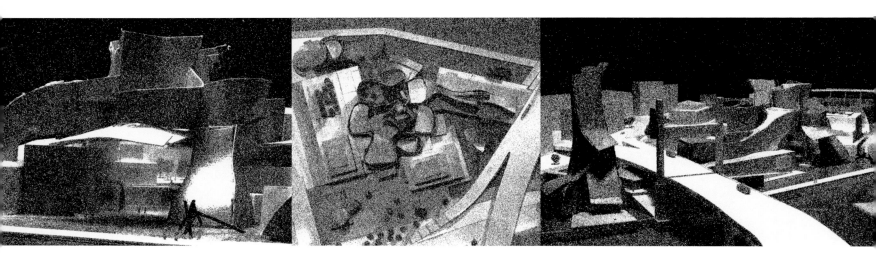

*Links*: Demonstrationsmodell aus Gips und Metall, das dem Kuratorium der
Solomon R. Guggenheim Foundation und den Vertretern der baskischen Behörden
am 16. September 1991 in New York vorgestellt wurde.

*Rechts*: Guggenheim Museum Bilbao, Schnitt vom September 1991.

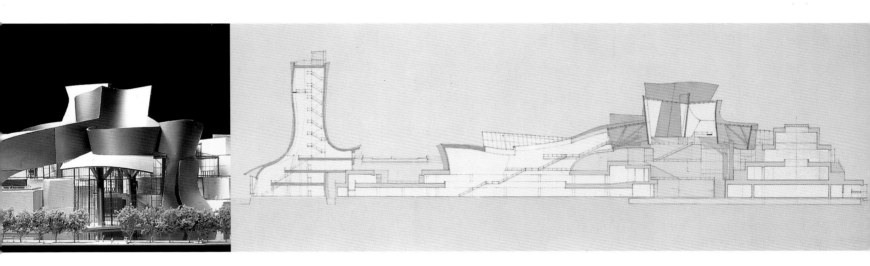

*Links*: Schematisches Entwurfsmodell aus Holz und Metall vom Februar 1993.

*Rechts*: Guggenheim Museum Bilbao, Schnitt vom Februar 1993.

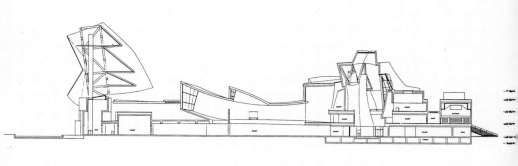

*Links und Mitte*: Schematisches Entwurfsmodell aus Holz und Papier, das zur Feier des ersten Spatenstichs am 20. Oktober 1993 vorgestellt wurde.

*Rechts*: Eingang zum Museum während der Bauzeit, Juli 1997.

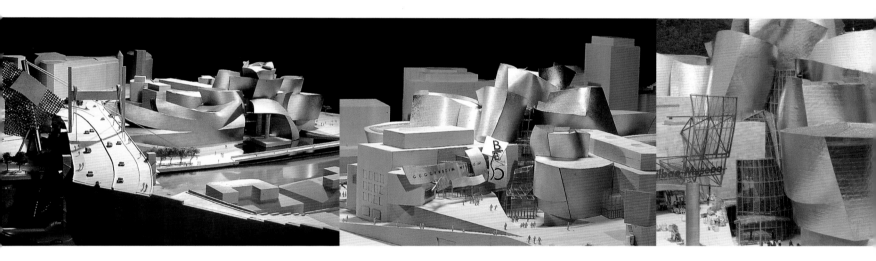

*Links*: Catia-Rendering.

*Rechts*: Entwurfsmodell aus Lindenholz und Papier, an dem von Herbst 1992 bis Dezember 1993 gearbeitet wurde.

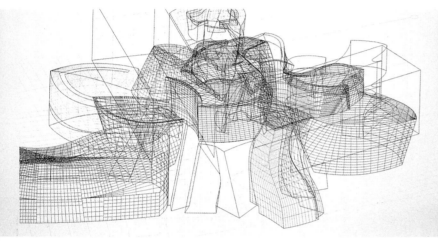

*Links und rechts*: Prüfmodell aus Schaumstoff und Holz vom Februar 1994.

*Mitte*: Catia-Rendering.

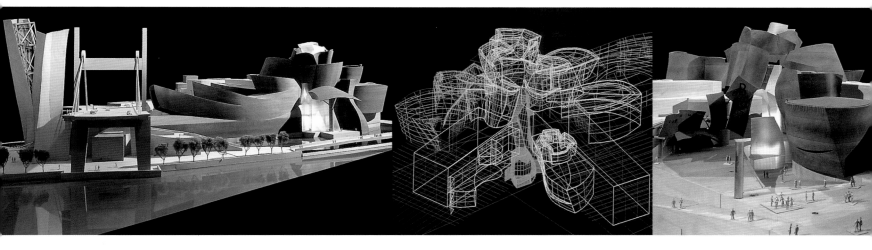

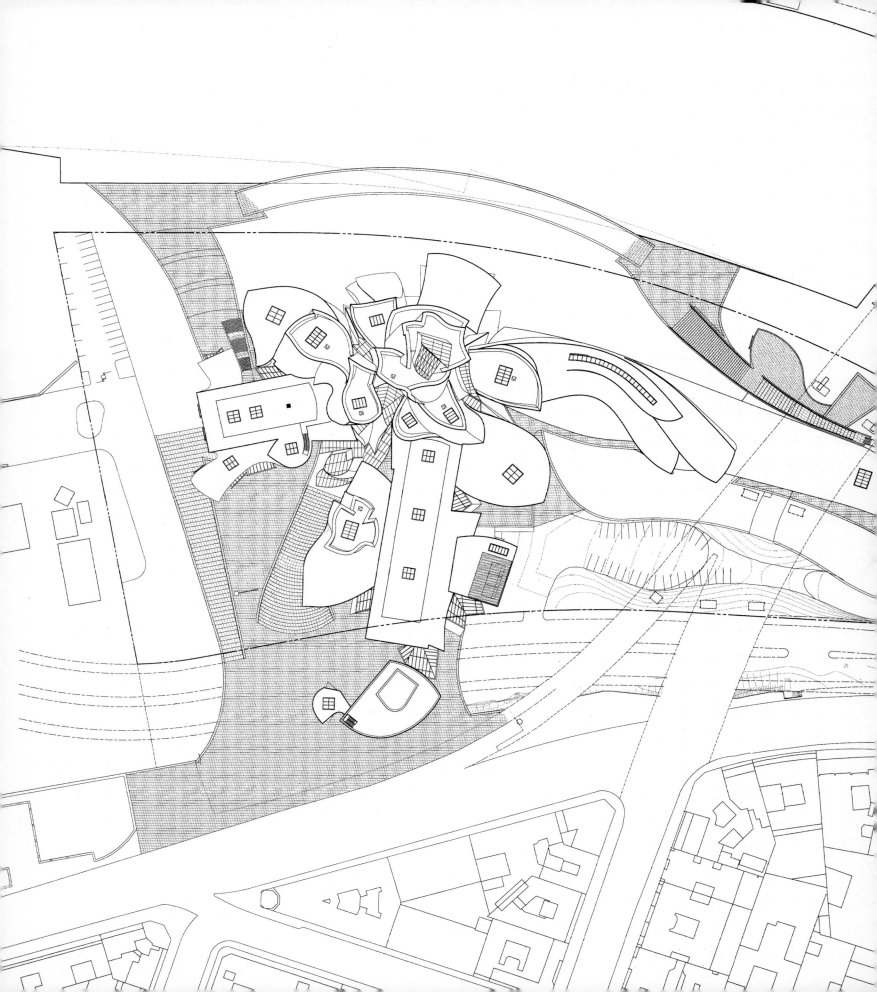

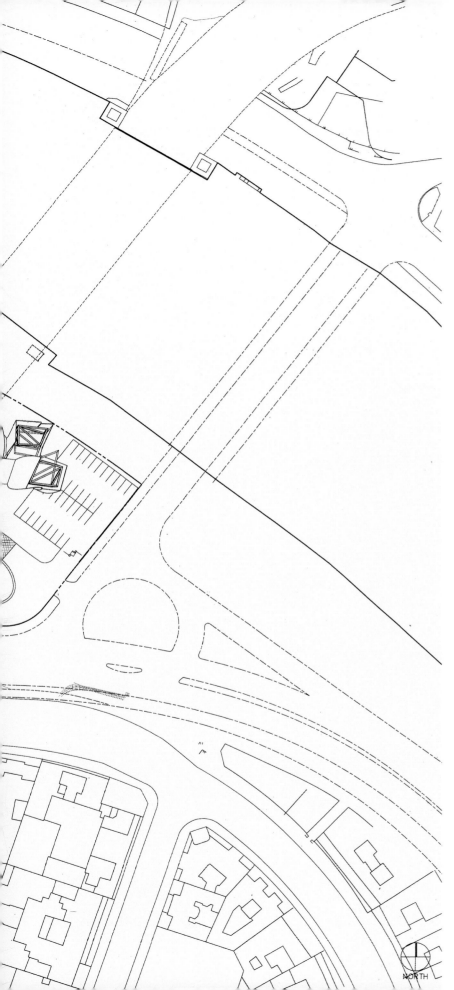

Ausführungsentwurf, Lageplan.

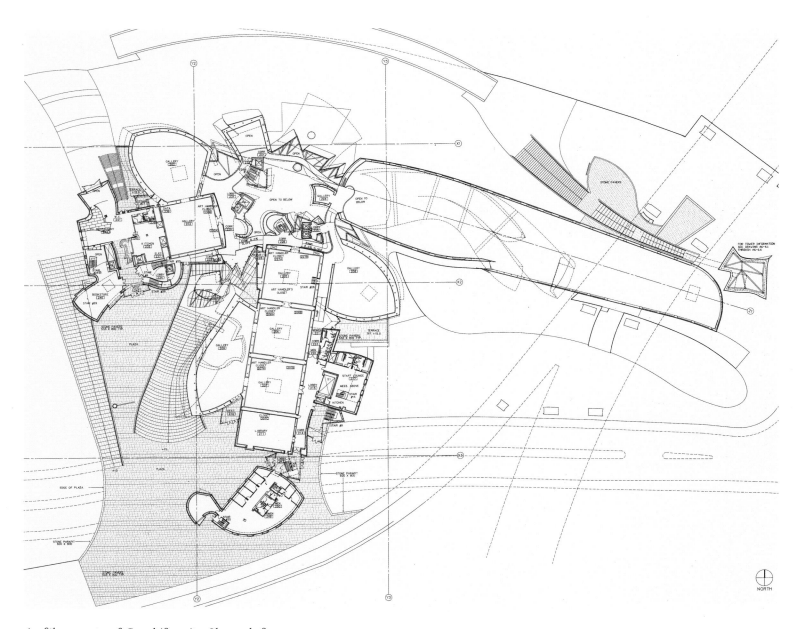

Ausführungsentwurf, Grundriß zweites Obergeschoß.

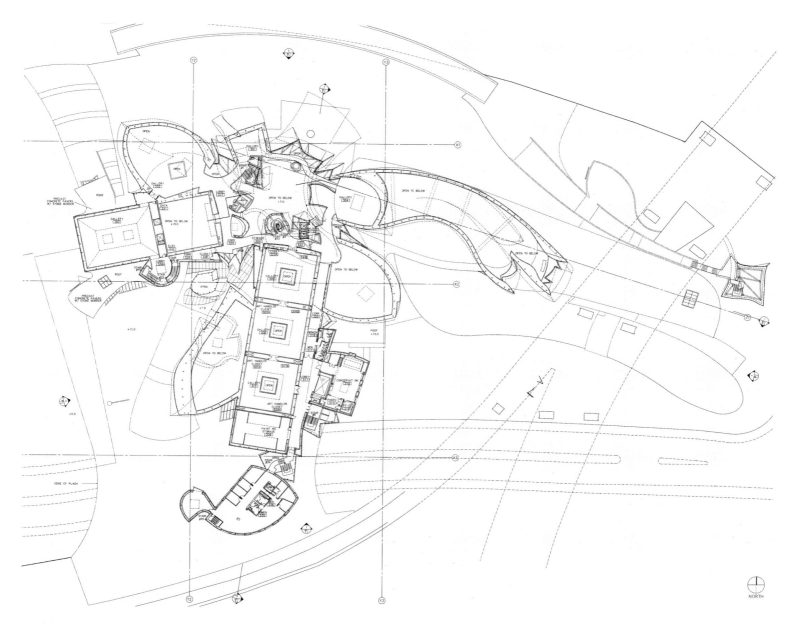

Ausführungsentwurf, Grundriß drittes Obergeschoß.

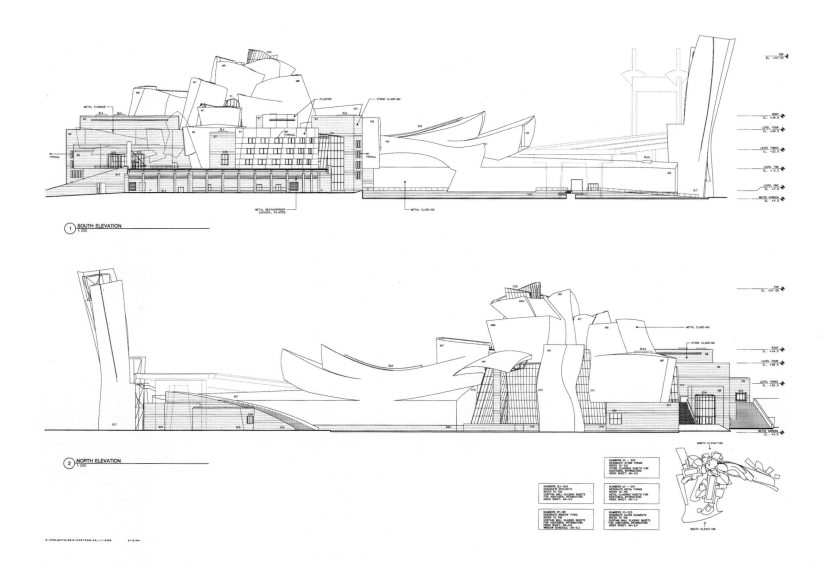

Ausführungsentwurf, Ansichten von Süden (oben) und von Norden (unten).

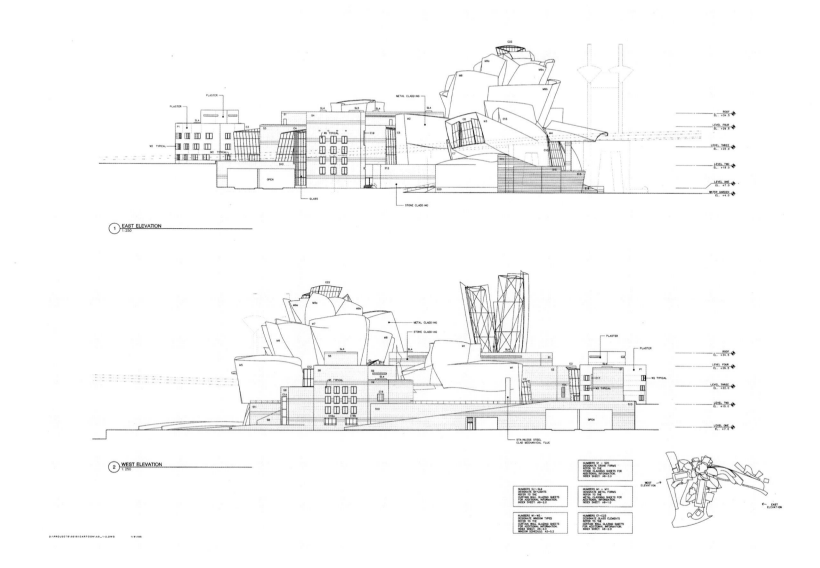

Ausführungsentwurf, Ansichten von Westen (oben) und von Osten (unten).

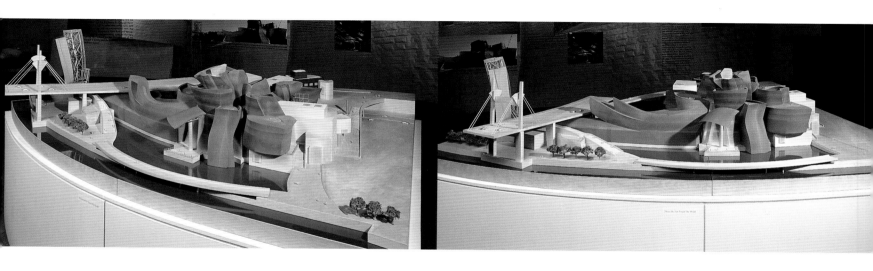

360-Grad-Ansicht des Prüfmodells vom Februar 1994.

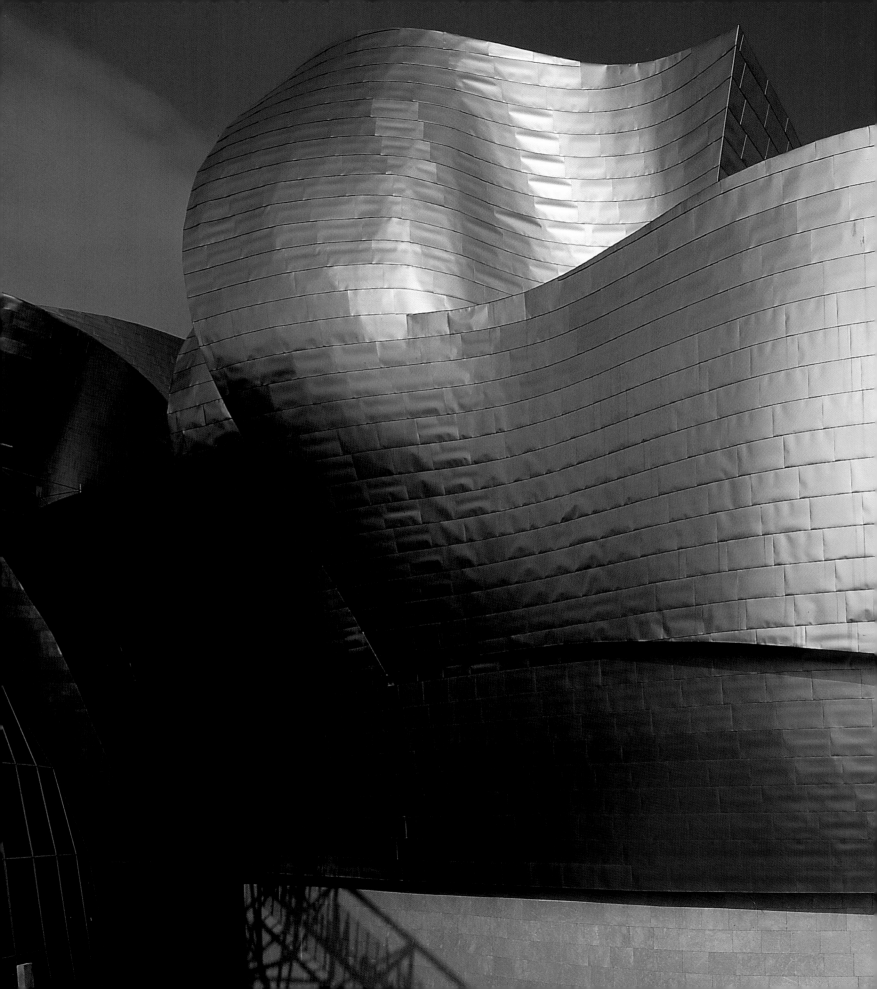

# Guggenheim Museum Bilbao

Avenida Abandoibarra, 2
48001 Bilbao
Spain

*Architekt :* Frank O. Gehry and Associates, Inc.

*Bauherr und Verwaltung:* Das Guggenheim Museum Bilbao wurde finanziert von und ist Besitz der baskischen Regierung; geführt wird es von der Guggenheim Museum Bilbao Foundation, einer Organisation, die sich aus Vertretern der baskischen Regierung und der Solomon R. Guggenheim Foundation zusammensetzt.

*Projektdaten:* Erster Spatenstich am 22. Oktober 1993,
öffentliche Einweihung am 19. Oktober 1997.

*Baustoffe:* Titan, spanischer Kalkstein, Glas.

*Projektangaben:* Bauplatz 32.700 m²
Bruttogeschoßfläche 28.000 m²
Gebäude 24.290 m²
Galerien 10.560 m2
Öffentlicher Bereich 2.500 m²
Bibliothek 200 m²
Auditorium 605 m²
Büros 1.200 m²
Museumsladen 375 m²
Restaurant 460 m²
Café 150 m²

## Projektteam

Frank O. Gehry  *Entwurfsleiter*
Randy Jefferson  *Projektleiter*
Vano Haritunians  *Projektmanager*
Douglas Hanson  *Projektarchitekt*
Edwin Chan  *Projektdesigner*

*Teammitglieder*

Bob Hale
Rich Barrett
Karl Blette
Tomaso Bradshaw
Matt Fineout
David Hardie
Michael Hootman
Grzegotz Kosmal
Naomi Langer
Mehran Mashayekh
Chris Mercier
Brent Miller
David Reddy
Marc Salette
Bruce Shepard
Rick Smith
Eva Sobesky
Derek Soltes
Todd Spiegel
Jeff Wauer
Kristin Woehl

## Ausführende Architekten/Ingenieure

*IDOM (Bilbao)*

José Maria Asumendi  *Projektdirektor*
Luis Rodriguez Llopis  *Projektmanager*
César Caicoya  *Senior Architekt*
Jorge Garay
Javier Ruiz de Prada
Javier Mendieta
Antón Amann
Cruz Lacoma
Amando Castroviejo
José Manuel Uribarri
Rogelio Díez
Ina Moliero
Fernando Pérez Fraile
Pedro Mendarozketa
Miguel Rodriguez
David Prósper
Javier Aróstegui
Victor Zorriqueta
Juan José Bermejo
Fernando Sánchez
Javier Aja
Juan Jesús Garcia
Alvaro Rey
Armando Bilbao
Gonzalo Ahumada
Javier Dávila
Imanol Múgica
Rafael Pérez Borao
Juncal Aldamizechevarría

## Berater

| | |
|---|---|
| *Architektonischer Berater* | Carlos Iturriaga |
| *Vertreter der*<br>*Solomon R. Guggenheim Foundation* | Thomas Hut<br>Andy Klemmer |
| *Tragwerk* | Skidmore, Owings and Merrill, Chicago<br>Hal Iyangar  *Senior Structural Consultant*<br>John Zils  *Associate Partner*<br>Bob Sinn  *Project Engineer* |
| *Technik* | Cosentini Associates, New York<br>Marvin Mass  *Partner*<br>Igor Bienstock  *Project Engineer*<br>Tony Cirillo  *Plumbing/Fire Protection*<br>Edward Martinez  *Electrical Engineer* |
| *Lichttechnik* | Lam Partners, Boston |
| *Akustik und Audiovision* | McKay, Connant, Brook, Inc., Los Angeles<br>Ernesto Garcia Vadillo |
| *Theater* | Peter George Associates, New York |
| *Sicherheit* | Roberto Bergamo E.A., Italy |
| *Curtain-wall* | Peter Muller Inc., Houston |
| *Aufzüge* | Hesselberg Keese and Associates, Mission Viejo |

## Bauunternehmer

| | |
|---|---|
| *Gründung* | Cimentaciones Abando |
| *Stahl- und Betonskelett* | Ferrovial/Lauki/Urssa |
| *Außenbau* | Construcciones y Promociones Balzola |
| *Innenbau und Bausysteme* | Ferrovial |
| *Baustellenarbeiten* | Ferrovial |

## Frank O. Gehry und Associates, Inc.

Frank Gehry gründete die Firma Frank O. Gehry and Associates, Inc. im Jahre 1962 und hat seither Reputation erworben als einer der bedeutendsten und einflußreichsten Architekten unserer Zeit. Gehry ist international bekannt geworden aufgrund seiner charakteristischen Architektur, bei welcher neue Formen mit neuen Materialien (wie Kupfer, Edelstahl, Zink, Titan und lokaler Naturstein) verbunden sind und die besonders sensibel für den kulturellen und visuellen Kontext ihrer Umgebung ist.

Gehry – sein Werk umfaßt Wohnungen, Museen, Bibliotheken, Schulen, Geschäfte, Konzert-hallen, Bürobauten, Restaurants und öffentliche Gebäude – hat eine Vielzahl von Projekten in Europa, Asien und den Vereinigten Staaten geplant, unter anderem die Walt Disney Concert Hall in Los Angeles/Kalifornien, das Samsung Museum of Modern Art in Seoul/Korea, das American Center in Paris (1994), das Frederick R. Weisman Art Museum an der University of Minnesota in Minneapolis (1993), das University of Toledo Center for the Visual Arts in Toledo/Ohio (1992), das Vitra Designmuseum und die Fabrik in Weil am Rhein (1989) sowie das Geffen Contemporary am Los Angeles Museum of Contemporary Art (1983).

Frank Gehry hat die renommiertesten Architektur- und Kunstpreise erhalten, unter anderem 1989 den Pritzker Architecture Prize, 1992 den Wolf Prize in Art (Architecture) und den Praemium Imperiale Award, 1994 den neu eingeführten Dorothy and Lillian Gish Prize. Sein Werk war auch Thema einer großen, vom Walker Art Center organisierten Retrospektive; diese Ausstellung wurde 1986 in Minneapolis und im Whitney Museum of American Art in New York gezeigt. Frank O. Gehry and Associates, Inc. ist in Santa Monica/Kalifornien stationiert und beschäftigt 65 Architekten und Designer.